Les filles modèles

4-Sabotage 101

marie potvin

Québec

Crédit d'impôt livres — Gestion SODEC

Gouvernement du Québec – Programme de crédit d'impôt
pour l'édition de livres – Gestion Sodec

Nous reconnaissons l'aide financière du gouvernement du Canada
par l'entremise du Fonds du livre du Canada pour nos activités d'édition.

Les filles modèles, 4. Sabotage 101
© **Les éditions les Malins inc.**, Marie Potvin
info@lesmalins.ca

Éditeur : Marc-André Audet
Éditrice au contenu : Katherine Mossalim
Correctrices : Corinne De Vailly, Fleur Neesham et Dörte Ufkes
Illustration de la couverture : Estelle Bachelard
Contribution aux illustrations : Shirley de Susini
Conception de la couverture : Shirley de Susini
Mise en page : Nicolas Raymond

Dépôt légal – Bibliothèque et Archives nationales du Québec, 2016
Dépôt légal – Bibliothèque et Archives Canada, 2016

ISBN : 978-2-89657-360-8

Imprimé au Canada

Les éditions les Malins inc.
Montréal, QC

À Sandrine
Parce que ton ciel est sans limite

Avec en vedette :

Marie-Douce
Brisson-Bissonnette

Laura
St-Amour

Chapitre 1

Fais une femme de toi !

Ça sent le détergent et il y a quelque chose de visqueux sous mes pieds. J'essaie de ne pas crier de dégoût en palpant dans l'obscurité la matière sur mes orteils nus englués. Mes doigts touchent une substance collante ; j'ai un haut le cœur, mais vomir est-il justifié ou non ? Je porte mon index maculé du « schmu » non identifié à mes narines. Une odeur de lime enchante mon nez comme le plus frais des parfums que j'ai jamais sentis de ma vie. Je ne dégobillerai pas sur ma belle robe rouge, c'est déjà ça de gagné.

Mais, il fallait s'y attendre, des bruits de pas m'annoncent que j'ai été repérée. La porte s'ouvre sur la silhouette de ma sœur bien-aimée qui se profile à la lumière du couloir.

– Hé, qu'est-ce qui se passe ? Samuel te cherche !

J'expire une longue bouffée d'air.

– Tu vas dire que je suis conne…

Marie-Douce sourit, l'expression de son visage est si… compréhensive que je me sens encore plus niaiseuse.

– Bien sûr que non ! En fait de conne, c'est pas toi qui gagnerais le concours, mais bien moi.

– Pouah, tu m'arriverais pas à la cheville.

Un silence s'installe. Marie-Douce cherche quoi dire pour me convaincre de me relever et de sortir de ma cachette, je le vois dans ses yeux.

— Fais attention où tu marches, il y a du Hertel au citron répandu, dis-je, à défaut d'autre chose.

Elle me regarde encore sans parler. Elle sait exactement ce qu'elle fait. Elle va m'énerver au point de me forcer à abdiquer et à me relever. J'attends un peu, au cas où elle flancherait. Une seconde, deux secondes, trois secondes… OK, je n'en peux plus.

— Quoi ?!

Son air est si confiant, on dirait qu'elle gronde une enfant fugueuse.

— Sors de là, Laura.

— OK, minute.

Quelques instants plus tard, je suis assise sur le lit de Marie-Douce. Ma sœur s'affaire à me recoiffer du mieux qu'elle le peut. J'ai des épingles à cheveux partout ; elle les retire une à une avec patience.

— Laisse faire ça, Marie-Douce, je suis un cas désespéré.

Elle ne me répond pas et sort d'une espèce de boîte de plastique ce qui semble être des tampons démaquillants. D'une main sûre, elle en retire un qu'elle approche de mon visage.

— Bouge pas, m'ordonne-t-elle.

Avec douceur, elle nettoie le dessous de mes yeux, là où mon maquillage a coulé. Elle tire sur les mèches de ma frange, la langue sortie tellement elle est concentrée à tenter de me refaire une beauté.

J'ai besoin de parler de n'importe quoi pour me changer les idées. La face longue de Constance, immobile parmi les jeunes qui faisaient la fête, me vient à l'esprit.

— As-tu vu à quel point Constance a l'air de s'emmerder?

— Non… Pour être honnête, Laura, je me fiche un peu des humeurs de Constance, ces derniers temps. Tu sais quand tu sens que quelqu'un ne tolère pas ta présence…

— C'est comme ça qu'elle te fait sentir?

— Qu'elle me FERAIT sentir, si je lui en laissais la chance.

— T'es tellement sage, Marie-Douce. Tellement mature. Tant pis pour Constance, la jalousie, ça ne fait que pourrir l'esprit.

Marie-Douce me lance un regard surpris.

— Wow, c'est intense, ce que tu dis là!

Je bats l'air de la main en soupirant.

– C'est ma grand-mère St-Amour qui disait toujours ça. Elle était très philosophe. Comme toi, d'ailleurs.

– Disons que les événements des dernières semaines m'ont fait voir la vie d'une autre façon.

– Je comprends ça! C'est fou, tout ce qui est arrivé.

– Oui, ça l'est. J'ai souvent l'impression que je vais me réveiller et que tout ça, ça sera juste un long rêve.

Tout en parlant, elle continue à arranger mes cheveux.

– Est-ce que t'as fini?

– Voilà, dit-elle en souriant. Touche à rien, je reviens!

Je fais la statue le temps qu'elle réapparaisse avec une bouteille de fixatif dans la main. Après quelques « push, push », elle me fait un grand sourire.

– Tadam! Maintenant, on peut redescendre. Ah, et mets donc ça.

Elle me lance des ballerines d'apparence beaucoup plus confortable que les souliers trop chics que je portais au début de la soirée.

– Merci, Marie-Douce…

– Mais de rien! Maintenant, veux-tu bien m'expliquer pourquoi tu t'es enfuie? Samuel avait l'air pas mal traumatisé.

D'un geste nerveux, j'entreprends d'arracher les petits fils qui dépassent de la couture de ma robe. Il y a une longue liste de raisons, la première étant ma grande insécurité en matière de garçons. Il y a aussi le fait qu'avant aujourd'hui, jamais je n'avais été confrontée à mes peurs, en tout cas, pas de cette façon. Les autres garçons qui me trouvaient *cute*, ils étaient faciles à gérer. Un beau «non» ferme et l'affaire était ketchup. Mais Samuel… soupir… c'est un cas spécial.

– Ce matin, il sortait encore avec Érica.

– Et alors?

– Ben, imagine ça! J'aurai l'air de quoi lundi, si je suis avec Samuel? C'est comme: tiens, tiens, il a changé de blonde en une seule journée!

Marie-Douce demeure silencieuse quelques secondes, puis plisse les yeux.

– OK, je comprends ton point. T'as pas tort.

– Merci!

Ma sœur me fait son regard de fille qui voit à travers moi.

– Mais je pense que c'est pas ça du tout qui te fait agir en peureuse.

– Ben oui, c'est ça. Qu'est-ce que tu veux que ce soit d'autre ?

Marie-Douce me considère encore quelques instants, l'index au menton, les yeux plissés.

– Samuel et Érica s'embrassaient souvent et avec pas mal d'intensité. Ils *french*…

Ah non ! Là, je suis vraiment troublée. D'un geste rapide, je cache mes oreilles de mes mains. Décidément, Marie-Douce commence à me connaître un peu trop bien.

– NON ! Je refuse d'en parler ! Dis pas le mot, dis pas le mot… Noooon !

Marie-Douce attrape mes mains pour les rabaisser sur mes cuisses et les tient en place. Ayayaye ! Elle est plus forte que moi ! Quoique ça ne devrait plus me surprendre. Ne m'a-t-elle pas déjà plaquée au plancher à deux reprises ?

– Ils *frenchaient* ! s'exclame-t-elle. Et ça te fout la trouille.

– C'est de ta faute, dis-je, piteuse.

– En quoi est-ce que ta peur d'embrasser Samuel est de ma faute ?

– Tu m'as jamais dit dans quel sens il fallait tourner la…

– Arrête de niaiser, niaiseuse ! s'esclaffe ma sœur.

Elle se lève et me tend la main.

– Allez, viens ! On a un bal juste pour nous. Il ne faut pas manquer ça. Fais une femme de toi, Laura St-Amour…

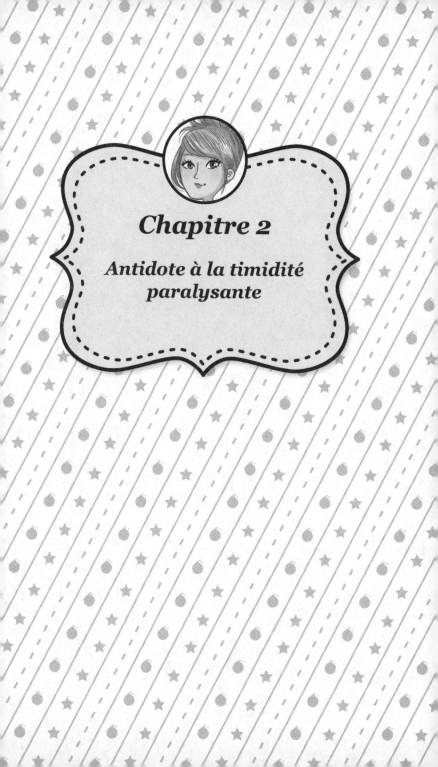

Chapitre 2

Antidote à la timidité paralysante

Oh la la la! Si ç'avait pu être aussi simple que de lui dire de faire une femme d'elle, j'aurais pu retourner voir Lucien et profiter de la soirée. Malheureusement, avec Laura, rien n'est jamais aussi facile. À peine sortons-nous de ma chambre qu'elle me tire par le bras.

— Attends, glisse-t-elle entre ses dents. J'ai jamais dit que j'étais prête à faire une femme de moi. Je suis un gros bébé lala et j'ai besoin que… euh…

— T'as besoin de quoi, Laura?

Nous sommes dans le couloir à l'étage, on entend la musique en bas. On dirait bien que Harry Stone a repris le micro. J'entends sa belle voix chanter un air de Full Power.

— J'ai besoin que tu me dises quoi faire.

Je m'arrête pour dévisager Laura, incrédule et abasourdie. Je la pensais tellement plus confiante. Voilà que c'est moi, la fille gênée, qui rassure la reine des populaires. C'est le monde à l'envers.

Dire que je comptais sur elle pour m'apprendre à faire face au monde entier sans trembler. Ça me rassure un peu, tout de même, de voir que je ne suis pas la seule à me rendre ridicule à angoisser pour des riens. Bien que la circulation de ma photo dans des millions de mains ait été une bonne raison pour paniquer, il faut en convenir…

Je gaspille donc les minutes précieuses qu'il me reste avec Lucien pour ses histoires de peur à la gomme. Mais c'est ma sœur et ça doit être ça que ça fait, une sœur ? Se sacrifier un peu ?

– OK, plaçons les faits dans l'ordre, dis-je d'une voix décidée. (Je n'ai pas de temps à perdre !) Samuel a cassé avec Érica ce matin, c'est ça ?

– Oui !

– Pour être avec toi, j'ai bon ?

– Euh…

– Laura ! Soyons efficaces. C'était pour être avec toi, oui ou non ?

– Oui, c'est ce que j'ai compris.

– Et là, juste avant de t'enfuir, tu devais aller sur la terrasse avec lui pour jaser, c'est bien ça ?

– Oui…

– Alors, VA JASER !

Malgré mon ton de voix autoritaire, j'ai devant moi une Laura immobile qui cligne des yeux. Elle ne semble pas convaincue. Je devine qu'elle a peur de mal faire, d'avoir l'air ridicule, de ne ne pas être à la hauteur… Je sais exactement comment elle se sent. Cette peur qui vous paralyse, je l'ai vécue mille fois. Laura a besoin d'un antidote pour la décrisper, et cet antidote, ce sera mon discours d'encouragement! Je m'avance vers elle et saisis son visage apeuré entre mes mains : de cette façon, elle n'aura pas le choix de bien m'écouter.

— Là, écoute-moi, Laura. Si Samuel t'aime, il ne te brusquera pas. T'es pas obligée de l'embrasser, le sais-tu, ça?

Laura expire l'air de ses poumons. Ses yeux noirs sont si intenses, on dirait une fille qui mourra dans la seconde si je ne lui lance pas une bouée de sauvetage.

— Alexandrine m'a dit que pour pouvoir affirmer qu'on sort avec un gars, il faut l'avoir *frenché*.

Ohhhh! Nouvelle information! Mais depuis quand est-ce qu'Alexandrine Dumais détermine les conventions sociales indiquant qu'on « sort » avec quelqu'un ou pas? L'amour, c'est si strict? Il est où le document officiel où sont inscrites les règles noir sur blanc? J'aimerais bien le consulter!

Si cette règle est vraie, ça voudrait dire que je sors avec Lucien? Oups, je ne peux pas me permettre de tomber dans la lune parce que mon cœur fait des bonds de joie. Concentre-toi sur Laura, Marie-Douce Brisson-Bissonnette! Blonde de Lucien Varnel-Smith…

— C'est des conneries, ça, Laura. Voyons donc! Et puis, t'es pas obligée de sortir avec lui dans les cinq prochaines minutes. Ça peut prendre du temps, ces affaires-là, t'sais.

Les joues de Laura rougissent à vue d'œil. Elle me regarde comme si je venais de lui annoncer qu'elle avait gagné un chèque-cadeau chez Ardène. Dans son regard rempli d'émotions, je vois grandir de l'espoir.

— Tu crois qu'il m'aime ? demande-t-elle.

Ah ! La voilà, la grande question.

— Oui, espèce de grande nouille. J'en suis certaine. Il avait l'air vraiment inquiet, tantôt. Allez, viens, maintenant.

Lorsque, finalement, je réussis à l'encourager à marcher vers les escaliers, j'aperçois Corentin en bas, qui semble nous attendre. Il décroise les bras et monte à notre rencontre.

— Alors, c'est fini les enfantillages ? lance-t-il avec un sourire en coin.

— C'est pas des enfantillages, marmonne Laura.

Corentin, qui n'est pas dupe, me regarde.

— Ah non ? Alors, se sauver dans un placard c'est mature, maintenant ?

— N'en rajoute pas, Corentin. Allez, c'est la fête ! Allons danser !

— Je vais retourner sur la terrasse, dit Laura d'une voix mal assurée. Je dois des excuses à Samuel.

Soulagée qu'elle prenne enfin les devants pour régler cette situation somme toute un peu ridicule, je regarde autour de moi à la recherche de Lucien.

Chapitre 3

Corentin est tellement mort !

Pour me rendre à la terrasse, je dois couper à travers le grand salon qui tient lieu, ce soir, de piste de danse. Mes camarades de classe ont l'air de s'amuser. Ils ont l'esprit tranquille, eux ! Alexandrine danse avec Harry Stone qui semble avoir rangé son micro pour le reste de la soirée. Difficile d'être surprise que le beau chanteur ait jeté son dévolu sur elle, Alex est une beauté rare. Drôle comme Harry Stone a fini par se fondre à notre groupe d'amis sans que ceux-ci s'énervent au-delà du raisonnable. Il y a peut-être un tranquillisant dans le punch ?

Je suis nerveuse à l'idée de rejoindre Samuel. Que dire, après avoir eu l'air aussi ridicule ? Je cherche des yeux Constance et Samantha. Leurs visages familiers devraient me rassurer. Elles ne peuvent pas être loin ! Incapable de les trouver parmi les danseurs, je continue vers la terrasse, où je tombe sur… Lucien. Il n'a pas l'air de bonne humeur.

– Allô… As-tu vu Samuel ?

Il me regarde, les bras croisés.

– Oui, tout à l'heure, quand t'es partie comme une voleuse.

– Hé, je ne suis pas… Ah pis, mêle-toi donc de tes affaires.

Il s'avance vers moi. Oh la la… Lucien n'est pas content.

– Justement, ce sont mes affaires quand tu me fais perdre mon temps. Corentin m'a dit que t'étais partie parce que t'étais trop timide pour faire face à ton mec.

Corentin est MORT !

– Hé ! Je ne t'ai pas demandé l'heure ! En quoi ce que je fais te dérange ? Han ? Explique-moi ça !

– Est-ce que tu sais que mon temps ici est compté ?

Il ferme les yeux, sa mâchoire est serrée. Mon Dieu Seigneur, qu'est-ce qui se passe de si grave ?

– Tu vas mourir ?

Ma question est un peu sarcastique, je l'avoue.

– Je ne vais pas mourir, même si c'est ce que tu souhaiterais. Mais je vais partir dans quelques jours, oui. Et quand Samuel nous a interrompus pour dire que tu t'étais évaporée sans explication, eh bien, Marie et moi… on venait juste de se retrouver. Évidemment, Marie était inquiète, alors elle a couru s'occuper de toi. Corentin vous a un peu épiées, il m'a raconté votre conversation. T'es pas un peu puérile, Laura ?

Ça y est, mon sang vient de monter jusqu'à mon cuir chevelu, je sens même mes oreilles chauffer.

– Vous nous avez espionnées ?

– Pas moi, Corentin, relève-t-il.

– C'est la même chose, puisqu'il t'a tout rapporté !

Dans ma colère, j'en oublie la raison première de toute cette situation. Samuel. Terrifiée, j'écarquille les yeux.

– Est-ce qu'il a tout raconté à Samuel aussi ?

Si c'est le cas, je meurs. Non mais, quel gâchis !

– Je ne sais pas. Ton ami Samuel a dû quitter la fête. Les deux filles qui se tenaient à l'écart, la grande rouquine et la petite brunette, sont venues le chercher. Leurs parents sont venus les prendre.

– Oh non !

– Ouaip, dit Lucien, sans compassion pour mon malheur. T'as loupé ta chance.

– Est-ce qu'il t'a dit quelque chose ? Euh… je veux dire, pour moi ?

Lucien secoue la tête en riant.

– Toujours toi toi toi, hein Laura ? Est-ce que j'ai la tête d'un messager ?

Avant que je puisse me défendre, une voix de fille s'élève derrière nous. C'est Marie-Douce, elle semble inquiète.

– Laura ? Je pense que Sam est parti… Constance et Samantha ont fait appeler leur père. Constance se sentait mal.

Pour être très honnête, je suis un peu soulagée. Déçue, c'est vrai, mais en même temps, je suis libérée de devoir « jaser » avec Samuel et expliquer mon attitude de peureuse. Pour l'instant, du moins. Demain est un autre jour…

Puis, je m'aperçois que Lucien et Marie-Douce se regardent avec une intensité qui me rend mal à l'aise…

Oh zut, je suis vraiment égoïste. Quelle mauvaise sœur je fais ! Lucien a tenté de me le dire à mots voilés, et ce n'est que maintenant que j'en prends conscience ! Marie-Douce a perdu son temps précieux avec Lucien pour moi.

Je leur ai volé leur instant magique ! C'est ça que Lucien m'a reproché ! Il a tellement raison en plus. Je suis une égoïste bébé gâté.

– Oh, Marie-Douce, je ne savais pas que vous… que tu… arfff, je m'excuse ! Je vous laisse ! Pardon ! Pardon !

Chapitre 4

Confi-danse

Comment en vouloir à Laura de m'avoir fait perdre quelques minutes du temps qu'il me reste avec Lucien ? La pauvre est rentrée dans le grand salon en trébuchant contre la porte française. Une chance que Corentin était là pour la rattraper. Mais pourquoi le frappe-t-elle et le repousse-t-elle ? Je l'apprendrai sûrement plus tard. Elle semble très fâchée contre lui ! Pour l'instant, il y a Lucien qui est là.

– Salut…

Bon sang, ma voix sonne comme celle d'une petite souris.

Je me reprends.

– Salut !

On dirait que je viens de saluer un vieil ami dans un autobus bondé. Je dois me taire. Tout de suite.

Lucien ne semble pas se formaliser de ma maladresse. Je l'ai quitté il y a seulement quelques minutes, pourquoi suis-je maintenant aussi nerveuse ? Ça doit être Laura qui déteint sur moi. Vite, il faut réparer mon entrée en matière.

– Alors, qu'est-ce qu'on disait ? Ah oui, que tu pars dans quelques jours…

Je regarde ailleurs. Juste le dire, ça me fait mal au cœur.

— Hé, je reviendrai… Et puis, on a au moins une semaine devant nous, faut pas la passer à être triste !

— Moi qui espérais que tu resterais au moins jusqu'en janvier. Mais je suis contente pour toi, tu t'en vas conquérir le monde. Un contrat avec Sony, wow !

Il hausse les épaules.

— Il y a Sony et une multitude d'autres possibilités. D'ailleurs, je ne sais pas si je te l'ai déjà dit, mais mon agent est aussi celui de Full Power. Il y a de la bisbille dans le groupe et il ne sait plus où donner de la tête. Il n'arrête pas de m'envoyer texto sur texto depuis qu'il m'a parlé du contrat de Sony, il semble avoir d'autres idées pour moi. J'ai peut-être une autre possibilité encore plus grande. Il veut m'en parler après le concert que donnent les Full Power à Montréal, demain soir.

Je souris tristement. Il m'étourdit, avec toutes ses histoires de gros contrats. Je me sens tellement loin de sa réalité, c'est épeurant.

— Wow… Je suis fière de toi, vraiment. T'as le talent qu'il faut, je suis sûre que tu vas réussir.

Que dire de plus ? C'est la vérité, même si j'ai une boule d'angoisse qui m'écrase le cœur. Lucien relève mon menton de son index pour que je le regarde.

— Hé! Ne t'en fais pas. Viens là.

Il me serre dans ses bras, mon cœur s'emballe. Comment je vais faire pour le laisser partir? Je dois me répéter qu'il reviendra, rester positive. Et je pourrai aller lui rendre visite, peu importe où il sera. Nous irons manger des salades bizarres et du pain croûté, main dans la main...

— J'essaie très fort de me convaincre que tu reviendras et que je pourrai aller te voir.

— Tout ça sera possible, promis. Marie, je dois t'avouer quelque chose...

Curieuse, je me détache de lui pour lever les yeux et le regarder.

— M'avouer quoi?

— Quand cette photo de toi s'est mise à circuler et à faire le *buzz*, j'étais... euh... un peu fier.

— Quoi? C'était un enfer! Ça l'est encore, d'ailleurs...

— Laisse-moi t'expliquer. J'étais fier parce que le monde entier a vu au premier regard à quel point t'es sensationnelle. C'était avant de savoir que t'en souffrais autant!

— J'aime pas être en vedette, dis-je d'une voix triste. Toi, par contre, le devant de la scène, c'est vraiment ton élément. T'es fait pour ça. Tu vas faire un malheur et ta vie changera du tout au tout.

Il me prend la main et nous nous dirigeons vers un long banc ornemental. Personne ne s'assoit jamais là, c'est pour les fleurs de Valentin. Ou plutôt, du jardinier de Valentin et de ma mère, car je doute qu'il ait le temps de se soucier de ce genre de détail.

Une fois assis à mes côtés, il entoure mes épaules de son bras. Est-il aussi fébrile que moi ? C'est difficile à dire, Lucien semble toujours si… confiant. Ce que je donnerais pour être comme lui ! Sa vie doit être tellement plus facile, sans toutes ces peurs qui me hantent tout le temps.

– J'aime la scène, me confie-t-il. C'est un *rush* d'adrénaline sans égal, mais je t'assure que je vais tout faire pour ne pas avoir la grosse tête. Je veux garder mes valeurs… et mes amis.

Au mot « amis », mon cœur tombe dans mes talons. Il n'a pas dit « ma petite amie » ou « mon amoureuse », non, il a dit « amis » comme dans « mes potes et t'en fais partie même si t'es bien mignonne ». Malgré ma déception, je m'efforce de ne pas lui mettre de pression. Si c'est une amie qu'il veut, alors c'est ce qu'il aura !

– Comment tu fais ? J'ai du mal à faire mes spectacles de danse…

Il sourcille, soudain très captivé.

– Alors, tu danses ?

L'éclat soudain d'intérêt dans son regard m'inquiète. Pourquoi ai-je mentionné ça ? J'aurais dû lui parler de la belle température que nous avons ce soir, et non du fait que je danse !

– Nnnn… oui… mais pas super bien, là. Euh… juste pour le *fun*, t'sais. Je pense que je suis meilleure au karaté…

Il éclate de rire.

– À te regarder, on voit très bien que tu es du genre danseuse de ballet. Je m'en doutais depuis longtemps.

– Tu ne peux pas savoir ça juste en me regardant. Tu dis n'importe quoi.

– À la façon dont tu te tiens bien droite, à ta démarche, à ta grâce…

Je lève un sourcil et il éclate de rire.

– OK, je l'avoue, j'ai mené ma petite enquête. J'ai demandé à ta mère. Et j'ai su aussi, pour le karaté. T'es très secrète, j'ai dû fouiller…

Il se lève et s'empare de mes deux mains pour m'attirer à lui.

— Montre-moi, Marie, s'il te plaît…

Puis, sans crier gare, il me saisit par la taille et me soulève dans les airs. D'instinct, je prends une position cambrée, celle que j'avais souvent avec mon partenaire lorsque nous devions faire des chorégraphies en couple, avant que madame Lessard devienne mon prof privé. Ouf, ça fait quand même longtemps que j'en ai pas fait ! Je dois forcer un peu ma pose, mais ça y est.

Comme si c'était naturel pour lui, Lucien place une main sur ma hanche et me maintient plusieurs secondes comme ça, au-dessus de sa tête, pour ensuite me laisser rouler contre lui jusqu'à ce que mes pieds atteignent le sol sans heurt. Wow ! Pour une surprise…

— T'es légère ! murmure-t-il, son visage au-dessus du mien.

— Toi, tu m'as caché ça ! Personne ne peut improviser un *move* pareil !

Il rit et dépose un baiser sur ma bouche. Juste assez pour me rendre toute molle d'euphorie.

— J'ai rien caché, on n'a simplement pas eu le temps d'en parler. Même si je préfère le rugby, mes parents m'ont forcé à faire du ballet. Ils disaient que ça me servirait un jour. Je leur en ai voulu longtemps. Jusqu'à cet instant.

Puis, comme j'allais m'enhardir à essayer de le tester un peu et de lui faire faire quelques pas d'une chorégraphie compliquée, nous sommes interrompus par des voix en colère provenant de la terrasse.

Chapitre 5

Bobos de souliers

Cette soirée est l'une des pires de ma vie. Je suis en colère monstre contre Corentin. Il est allé raconter à Lucien et à Samuel toutes les craintes que j'ai confiées à ma sœur. Que Lucien me prenne pour une idiote, ça m'est égal. Mais que Samuel sache à quel point je suis timide quand il s'agit de lui ? Ça, c'est inadmissible.

Nous sommes près de la piscine. J'ai préféré le tirer là pour ne pas faire une scène dans le grand salon devant tous nos amis. Je ne pouvais pas attendre pour lui dire ma façon de penser !

– T'avais pas le droit de te mêler de mes affaires, Corentin ! Pourquoi tu lui as raconté mes secrets ? Han ? Si j'avais la moindre chance avec Samuel, tu viens de tout gâcher.

– Euh… non, Laura, moi j'ai rien fait. C'est toi qui as tout fait foirer en allant te cacher !

– Arrête de faire comme si t'étais innocent. On dirait que t'aimes ça, mettre la bisbille partout où tu passes !

– Hé, c'est pas vrai…

– Oui, ça l'est. Je me souviens très bien de tes petites manigances avec le t-shirt de Duran Duran. C'était du Corentin Cœur-de-Lion tout craché. Et ce soir… aller raconter à Samuel que je fais le bébé lala dans un placard, c'est tout à fait ton genre.

Incapable de me contenir, je m'approche et mon poing s'écrase sur son torse. Il ne cille même pas et j'ai mal à la main.

— Qu'est-ce que tu faisais à te cacher, alors? demande-t-il comme si je ne venais pas de le frapper.

— J'avais besoin de respirer, dis-je en soufflant sur mes phalanges endolories.

Les larmes montent à mes paupières et je tourne la tête. Pas question que Corentin me voie pleurer.

— Écoute, Laura… Je suis désolé, OK? C'était pas méchant. Il était inquiet, il me posait des questions et c'est pas mon genre de mentir, tu comprends?

Je relève la tête, les yeux plissés et les dents serrées.

— Pas ton genre de mentir… quand ça fait ton affaire. T'aurais pu lui faire un mini mensonge *cute* pour me sauver la face. Mais noooon, il fallait aller lui raconter que je suis une grosse peureuse.

— Euh, t'es pas si grosse que ça…

— Pardon?

Corentin s'aperçoit de sa bévue et agite les mains.

— T'es pas grosse du tout, en fait… t'es même, super bien… euh… je veux dire…

– La ferme, Tintin ! fait une voix masculine sortie de nulle part.

Derrière nous se trouvent Lucien et Marie-Douce. Ils devaient s'être éloignés dans le jardin, je les avais oubliés tellement je suis énervée.

– Ah non, pas lui… dis-je en cachant mon visage de mes deux mains. Lucien, t'en mêle pas, s'il te plaît…

Lucien secoue la tête en roulant les yeux.

– T'inquiète pas, vos problèmes ne m'intéressent pas. Viens, Marie, laissons-les à leur querelle futile.

– Hé, c'est pas une querelle (ouf, le mot querelle sort mal avec mon accent québécois)… heu… une chicane inutile !

Mais il ne m'écoute plus, il est déjà retourné vers le brouhaha du bal. Ma sœur me fait un petit sourire, sa main dans celle de Lucien et j'ai un petit pincement de jalousie au cœur. Ç'aurait pu être moi, ce soir, qui aurais tenu mon nouvel amoureux par la main.

– Laura…

– Qu'est-ce que tu veux, Corentin ?

Il voit à quel point je suis exaspérée. Il utilise sa voix douce pour me calmer. Quand il fait ça, j'ai du mal à résister et il le sait trop bien.

– Faisons la paix, d'accord ?

Je secoue la tête. Je n'ai tout à coup plus d'énergie à mettre sur ma colère. J'ai surtout un sacré mal de bloc.

— Promets de ne plus jamais dire mes secrets.

— Promis.

— OK. T'es pardonné.

Il me fait un sourire timide et me tend la main.

— Tu veux danser ? demande-t-il.

J'hésite un instant. Il ne bouge pas, il attend avec un air de chien battu. Difficile de résister au charme de Corentin.

— OK, mais pile-moi pas sur les pieds, j'ai des bobos partout à cause de mes souliers à talons.

Il éclate de rire et me soulève comme une mariée pour m'entraîner sur la piste de danse. Ma rancœur pour Corentin ne dure pas longtemps. Comment pourrais-je le détester ? Après tout, c'est le frère de ma sœur… Il fait partie de ma famille, non ?

Chapitre 6

Le comble de la gustativité

Vers 22 h, les carrosses se changent en citrouilles. C'est la fin du bal, les parents font la file devant la porte. Valentin et Miranda adressent leur bonsoir à ceux qui souhaitent voir « en personne » l'acteur célèbre. Des « J'ai adoré tel film » fusent de plusieurs bouches de parents (surtout des mères) émerveillés. Tous s'attardent quelques instants dans le hall, comme s'ils prenaient des clichés souvenirs de leur visite chez le fameux Valentin Cœur-de-Lion. S'ils cherchent à entrevoir Harry Stone, ils seront déçus. La star a dû rejoindre les autres membres de Full Power à l'hôtel St-James. Demain, ils sont en spectacle au Centre Bell. Dure dure, la vie d'artiste.

Je regarde les convives quitter la fête les uns après les autres, appuyée contre Lucien. Son menton frôle mes cheveux. Je resterais comme ça des heures. Que dis-je ? Des mois, des années-lumière !

Lorsque la grande porte se referme sur le dernier invité, Valentin se retourne vers Laura, Corentin, Lucien et moi.

— Vous avez faim ? demande-t-il avec un sourire.

Gisèle nous a préparé une énorme poutine dégoulinante de sauce et de fromage en grains fondu. Biche et Georges se joignent à nous, ce dernier grimaçant devant les calories indigestes que la cuisinière place sous son nez. Lucien, pour qui la poutine est une première expérience ce soir, fonce dans le tas avec appétit. Lui, rien ne l'intimide !

– C'est génial, ce truc ! Allez Georges, une petite bouchée pour papa ? s'exclame-t-il, taquin.

L'homme aux cheveux blonds lissés sur le côté grimace.

– Très peu pour moi.

– Alors, c'est tant pis, dit Biche avec un clin d'œil dans ma direction. Moi, j'adore. Juste pour ça, je reviendrais au Québec chaque année !

Autour de la grande table, les exclamations enjouées sont généralisées. Même mon père et Nathalie, qui sont encore avec nous, s'amusent à tenter de déterminer si ajouter du ketchup est acceptable ou un crime contre la poutine. Moi, je suis pour. Le ketchup, c'est un *must*. Corentin me lance un regard surpris.

– Ah non, alors ! Moi, je ne suis pas encore suffisamment américanisé pour ajouter ça dans ma poutine !

– Allez Tintin ! Un peu de courage ! Passe-moi ce Katchuppe ! Je veux l'expérience entière, dit Lucien.

— Ah non! proteste encore Corentin, avant que je gâche mon assiette. J'aimerais comprendre votre théorie concernant l'intérêt d'ajouter cette substance infecte sur de la sauce déjà très... comment dire en bon québécois? Écœurante?

Mon père, en grand connaisseur, intervient.

— Le KETCHUP (il insiste sur la prononciation à la québécoise), c'est à la fois sucré et vinaigré. La sauce brune, c'est gras et très salé, sans compter le sel du fromage et les sucres des patates. En ajoutant le goût sucre-vinaigre froid dans le gras chaud, tes papilles gustatives vivent une expérience sans pareille.

Il a raison! Et j'ajoute avec passion:

— C'est le comble de la *gustativité*!

Les Français me regardent tous, la bouche grande ouverte, incertains.

— Vous êtes pas obligés... les sauve Laura en riant. Moi, je refuse. Les couleurs ne vont pas ensemble, en plus!

Sans quitter mon regard, Lucien tend la main. Je lui donne le ketchup qu'il répand sur ses frites.

— Je te fais confiance, Marie, dit-il avec son sourire dévastateur.

Chapitre 7

**Entre les mains
de Biche**

Nous avons dormi chez les Cœur-de-Lion et ce matin, au lever, Miranda chantait un air d'opéra dans le corridor. Elle a une voix presque assez haute pour que seuls les chiens puissent bien l'entendre. Malheureusement, l'oreille humaine la capte très bien aussi.

– Quelqu'un peut l'assommer?

C'est Marie-Douce qui vient de grogner dans son oreiller. Je suis contente qu'elle se réveille enfin, moi j'ai les yeux grands ouverts depuis des heures.

– T'as bien dormi, toi, t'es chanceuse.

Elle me fait un sourire, toujours couchée à plat ventre dans son lit, le visage tourné vers moi.

– Ouais… quelle heure est-il? demande-t-elle.

– Neuf heures, pourquoi?

Elle agrandit les yeux et se lève d'un bond.

– *My God*, y a pas le feu!

– Mon prof de danse s'en vient et j'ai même pas mangé! dit-elle en panique.

– Pauvre toi. Moi, je pense que je vais essayer de dormir un peu, dis-je avec un sourire.

– T'as fait de l'insomnie?

– Parle-moi-z'en pas. Je dois avoir les yeux en burger.

— Tu veux dire bouffis ? Non… t'es juste un peu cernée et tes cheveux semblent venir d'un autre monde… C'est Samuel qui te tracasse ?

— J'ai dit : parle-moi z'en pas…

Elle s'assoit sur le bout de mon lit.

— Faudra y faire face un jour ou l'autre… Tu vas attendre à lundi ?

— N… oui.

— Tsk, tsk, tsk, fait-elle en secouant la tête.

— Quoi ?

— Si t'attends à lundi, alors faudra régler ça devant les petits amis curieux de l'école. Alexandrine, Samantha, Constance, *Éricaaaa…*

À la mention du prénom d'Érica, je plisse les yeux. Elle me retourne un sourire sarcastique. Du coup, je n'ai plus le goût de rester couchée et je me redresse brusquement.

— En plus, tu risques de te dégonfler et de l'éviter, de ne plus jamais lui parler…

— Zut, t'as raison. Il faut que je lui parle aujourd'hui.

— Bonne fille.

— Et toi, pourquoi t'annules pas ton cours de danse pour profiter du temps qu'il te reste avec Lucien ?

Marie-Douce sourit, rougissant légèrement.

– Parce qu'il veut y assister.

Les idées qui me passent par la tête me font rire tout haut.

– Ooooh !

– Arrête de me regarder comme ça ! Allez, debout Cendrillon !

– Cendrillon, c'est toi !

Marie-Douce me fait un clin d'œil.

– Hier, c'était toi quand tu t'es volatilisée avant le dernier coup de minuit.

– Pffff, il était même pas 22 h.

Elle rit.

– Tu sais ce que je veux dire.

– Ouais, je sais.

– Allez hop ! Je vais demander à Bruno de te conduire chez Samuel dans une heure. Comme ça, tu ne pourras pas te défiler.

– Quoi ? T'es folle !

Biche, qui est avec nous pour la semaine, ne me laisse pas sortir sans s'assurer que je sois à mon avantage. Sa trousse de maquillage est impressionnante. J'ai du mal à imaginer qu'elle se serve vraiment de tout ça. Il y a un compartiment pour chaque article, et toutes les couleurs inimaginables y sont, autant pour les fards à joues que pour les fonds de teint, les ombres à paupières et les rouges à lèvres. Et ce n'est pas du *cheapette*, non madame ! C'est ahurissant.

– Tu sais, Laura, l'important c'est d'être naturelle.

– Ouais, je pense que ça va prendre plus que ça, moi…

– Même si t'as gaffé hier, ton Samuel ne s'en souviendra plus aujourd'hui.

Ce disant, elle pose un regard maternel sur moi, comme s'il fallait me consoler d'un gros bobo. Zut, elle est au courant de mes niaiseries.

– Comment tu sais, pour Samuel ?

– Tu porteras ce chemisier ? demande-t-elle, ignorant ma question.

Le fait qu'elle se contente de changer de sujet me fait deviner facilement que tout le monde connaît mon histoire de peureuse cachée dans le placard. Je ravale donc mon orgueil et je laisse l'experte faire son travail.

– Faut pas que tu aies l'air d'avoir mis le paquet pour l'impressionner, dit-elle en appliquant du *blush* léger sur mes pommettes.

– Merci, Biche… Sans toi, j'aurais eu l'air de n'importe quoi.

– De rien, ma belle. Je n'ai presque rien fait à part te bichonner pour te détendre. Il va être émerveillé par ta beauté naturelle, j'en suis sûre.

Biche est une fée. Chaque miroir que je croise en chemin vers la voiture de Bruno me le rappelle. Est-ce bien moi, cette fille dans le reflet ? C'est fou ce que de légers détails peuvent faire comme différence. Un peu de *gloss* sur les lèvres, du fard à joues (j'ai toujours pensé que ce n'était que pour les mémés !), du mascara de bonne qualité et *paf !*, me voilà transformée en une nouvelle moi version améliorée. Je sursaute lorsque la voix de Corentin retentit dans la salle à manger.

– Tu veux que je vienne avec toi ?

Vient-il vraiment de me poser une question pareille ?

– Euh, non. Merci. T'en as assez fait.

Corentin s'appuie sur la console de marbre, un demi-sourire aux lèvres. Il m'énerve…

– Quoi ?!

Son petit rire mystérieux me rendra folle. Ai-je une marque de crayon sur le nez ?

– Rien. C'est que… Est-ce qu'il sait que tu t'en vas le voir ? demande-t-il.

J'allais continuer à marcher vers le garage, mais je freine sec.

— Euh… pas vraiment, pourquoi ?

— Oh, rien, rien…

— Corentin Cœur-de-Lion, dis-moi tout de suite le fond de ta pensée, sinon…

— Tu vas te fâcher ? Tu m'en diras tant ! ricane-t-il. OK, OK ! Calme-toi… C'est seulement que j'ai un peu peur pour lui. T'es très jolie, aujourd'hui !

Le compliment sort de nulle part, ce n'est pas son genre de me dire ce genre de chose !

— Oh mon Dieu ! J'en ai trop fait ? Il va penser que je me suis déguisée en pitoune pour lui plaire…

— Calme-toi. T'es canon, il ne pourra pas résister.

Il s'approche et me prend par les épaules.

— Allez, respire un bon coup, tout ira bien. Si j'avais su que t'étais si nerveuse, je n'aurais rien dit.

— Ça va. Je vais faire une femme de moi. Dans quelques minutes. Bientôt. J'y vais, j'y vais. Zut ! Mon cœur va me sortir par la gorge !

Chapitre 8

Roméo

Mon professeur de danse, madame Lessard, déteste qu'on dérange ses habitudes. La présence de Lucien dans la salle aux miroirs la fait sourciller. Coiffée de son habituel chignon ultra serré, elle balaie l'air de la main quand mon ami entre. J'ai un petit sourire niaiseux sur les lèvres. Si sa présence me déconcentre, comment vais-je faire pour être à la hauteur des attentes de la dame austère ?

– Jeune homme, il faut sortir ! s'exclame-t-elle. Je ne tolère pas les spectateurs dans ma classe !

Lucien m'adresse un petit sourire, puis pose son regard sur ma prof qu'il domine d'une tête.

– Mais madame Lessard, dit-il d'une voix charmeuse, j'ai la permission de Miranda. D'ailleurs, je ne suis pas spectateur, mais votre élève, ajoute-t-il avec une révérence de dandy du 18e siècle.

Lucien est tout un comédien, lorsqu'il s'y met. Madame Lessard plisse les yeux et considère mon ami des pieds à la tête.

– Je n'ai pas de temps à perdre avec les débutants qui ne veulent qu'une chose : déranger ma classe. Vous irez vous bécoter ailleurs !

– Mais, madame Lessard… dis-je pour aider Lucien, mais celui-ci lève la main pour m'arrêter.

– Faisons ceci : je vous montre ce que je peux faire et si je suis à la hauteur, je reste. Sinon, je sors sans protester. Ça vous va comme ça ?

– D'accord, soupire-t-elle en roulant les yeux. Mais tu le fais sans musique.

Lucien éclate de rire. Visiblement, madame Lessard souhaite le faire sortir au plus vite. Il lui fait une autre petite révérence moqueuse avant d'aller se placer au centre de la pièce. C'est là qu'il nous fait tomber à la renverse ! Il exécute, dans un silence de mort, des mouvements de hip-hop complexes d'une agilité déconcertante. Au bout de plusieurs secondes, madame Lessard proteste :

– Arrête ces idioties ! C'est à des années-lumière de ce que j'enseigne à mon élève. Jeune homme, tu ne fais que perturber mon cours et perdre notre temps précieux !

Les mains sur les hanches, à peine essoufflé, Lucien ne se laisse pas démonter. Il me tend la main.

– J'ai dit assez ! insiste madame Lessard.

– Allez, Marie…

Sans hésiter, je m'élance dans les bras de Lucien. Ses mains entourent ma taille et il me soulève très haut. Sans sembler forcer, il me maintient en l'air, tandis qu'il regarde ma prof avec un grand sourire.

– J'ai fait sept ans de ballet.

Madame Lessard soupire.

– Ça va, tu peux la lâcher.

– Pas avant que vous me donniez la permission de rester.

Pendant qu'il argumente, moi je suis toujours en position cambrée. Je n'ai pas l'habitude de tenir aussi longtemps, mais que ne ferais-je pas pour impressionner Lucien ? J'aurai mal partout demain, mais je m'en fiche.

– Ça va ! Tu peux rester ! Mais tu m'écoutes au doigt et à l'œil, dit madame Lessard.

– *Cool !* dit-il en me laissant rouler contre lui.

Je m'attarde un peu dans ses bras et il dépose un baiser sur mon front.

– As-tu eu peur que je te laisse tomber ? demande-t-il dans mon oreille.

– Jamais de la vie.

Comme si mes mots englobaient une signification plus large que la danse, il me lance un regard lourd.

– Jamais de la vie, répète-t-il, comme s'il était hypnotisé.

Un raclement de gorge de ma prof nous rappelle à l'ordre.

– Alors, Roméo, voyons tes arabesques !

Chapitre 9

Faire disparaître
la Terre entière

Pour me rendre chez Samuel, j'ai décidé de marcher, même si Bruno était prêt à venir m'y conduire. Il avait l'air déçu. Le chauffeur des Cœur-de-Lion est un homme très gentil qui adore rendre service. Cependant, j'avais besoin de prendre l'air. Je me suis dit que ça allait me calmer et me permettre de réfléchir.

J'espère ne pas croiser Constance et je prie le ciel que Samantha ne soit pas chez elle. Je n'ai pas envie d'avoir à expliquer ma conduite d'hier soir à mes amies. Faire face à Samuel suffit amplement. J'espère que ses cousins, Évance et Fabrice, ne seront pas dans les parages non plus. Ah, et tant qu'à y être, si tous les habitants de la planète pouvaient disparaître et me laisser seule avec Samuel, juste pour cette discussion, ça ferait mon affaire.

J'aurais dû l'appeler. Zut. À quoi j'ai pensé de me présenter comme ça, sans avertir ? Si au moins j'avais eu son adresse courriel, j'aurais pu lui envoyer un message et régler ça par écrit ! J'aurais pu effacer, penser, tester mes phrases… là, parler de vive voix, les joues rouges, les mains tremblantes, ça ne sera pas de la tarte. Faire une femme de moi… grrrr ! Chère Marie-Douce, depuis quand t'es si courageuse ? Avant, c'était moi la *toffe*.

Ça y est, j'arrive au coin de la rue Sainte-Madeleine. Encore un pâté de maisons et j'y serai. Mon cœur s'emballe, j'ai les mains moites. Au secours !

La maison est presque identique à celle de Constance. Mêmes briques rouges, même type de porte d'entrée. Est-ce bien celle-ci ? Je ris toute seule. Si je me trompe d'adresse, je pourrai dire que j'ai « essayé » et me défiler…

Puis, je m'arrête. Comment ai-je pu oublier de vérifier mes messages sur mon iPod avant de venir jusqu'ici ? C'est SÛR que Constance m'a écrit ! J'aurais pu lui demander le courriel de Samuel, ou, du moins, lui arracher quelques informations sur leur retour d'hier soir. Comment était-il ? A-t-il dit quelque chose ? Avait-il l'air triste, fâché, soulagé de partir ?

Dans l'allée, il y a deux voitures. C'est certain qu'il y a quelqu'un ! Je m'approche de la porte et lève la main pour atteindre la sonnette, mais le battant s'ouvre avant que je ne puisse toucher le bouton blanc. Samantha, ses cheveux couleur de feu en cascade sur ses épaules (c'est rare qu'elle ne les attache pas avec son chouchou), me dévisage d'un drôle d'air.

– Salut, Sam…

— Je pensais que t'étais malade, toi !

Malade ? Ouiiii, c'est ça ! J'étais malade ! C'est génial comme excuse pour aller me cacher dans un placard. Je pourrai dire que Corentin a dit n'importe quoi quand il a raconté que j'étais trop gênée pour lui faire face et *hop* ! Je n'aurai pas l'air trop nouille.

— Oui, oui, c'est ça, j'étais… euh, malade.

Samantha roule les yeux en soupirant. On dirait bien qu'elle ne me croit pas.

— T'as vomi ?

— Non… j'avais juste un mal de tête. Est-ce que ton frère est là ?

— Samuel ! Laura est iciiiiii !

Samantha me sourit et croise les bras, elle semble trouver la situation très captivante.

— Alors, tu sors avec mon frère, maintenant ?

— Samantha, laisse ton amie entrer ! fait la voix de sa mère.

— C'est pas mon amie, c'est la nouvelle blonde de Samuel !

— Déjà ! s'exclame sa mère. Mais je croyais qu'il sortait avec Érica.

Samantha éclate de rire.

— Ça, maman, c'était hier. Aujourd'hui, c'est Laura ! Mon frère, c'est tout un Don Juan…

— Bonjour, Laura, me salue la dame. Nous étions en train de préparer le brunch familial. Tu as faim ?

Triple zut ! Pourquoi fallait-il que je tombe au milieu d'une réunion familiale ? Dans la salle à manger, j'aperçois une dizaine de personnes, dont des enfants en bas âge. Si je voulais que la Terre entière disparaisse, je viens de me faire faire un solide pied de nez par le destin.

— N... non, merci. Je ne faisais que passer. Je ne veux pas vous déranger. Samuel a l'air occupé, je vais y aller. Vous pouvez lui dire que je suis venue ? Euh... merci...

Je n'ai pas le temps de faire deux pas vers la sortie que Samantha se plante devant moi.

— Ah non, tu ne peux pas partir comme ça !

— Samantha, s'il te plaît... De toute façon, ton frère est pas pressé de me voir, alors...

— Laura ?

Re-zut ! C'est Constance. Évidemment qu'elle est ici elle aussi, puisqu'elle est leur tante.

— Salut Constance, j'aurais pas dû venir...

— Je t'ai envoyé plein de messages sur ton iPod ! Pourquoi tu ne répondais pas ?

— J'ai pas ouvert mon iPod depuis hier. Tu me disais quoi ?

– Samuel a refusé de nous parler sur le chemin du retour. Et là, il est enfermé dans sa chambre. Veux-tu bien me dire ce que tu lui as fait ?

– Rien…

– T'es certaine ?

– Est-ce que je peux le voir ?

Constance me fait un petit sourire.

– Deuxième porte à gauche. Bonne chance…

Chapitre 10

Histoires de gars

Le cours de danse a duré une heure. Soixante minutes à exécuter des mouvements ennuyeux et répétitifs. Je soupçonne madame Lessard de l'avoir fait exprès. D'habitude, elle me fait répéter une de ses chorégraphies favorites, et elle en a beaucoup. Je pense qu'elle voulait tester la patience de Lucien et s'assurer qu'en aucun temps, nous nous touchions. Il n'a pas bronché et a fait ce qu'elle demandait.

Une douche bien méritée (chacun de notre côté, évidemment!) et nous nous retrouvons dans la cuisine où Gisèle nous a concocté ses fameuses gaufres. Lucien sourit en remarquant les Froot Loops éparpillés dans mon assiette.

— C'est une obsession ou quoi? demande-t-il. J'y ai goûté, et ce sont les pires céréales au monde.

— Non, c'est pas une obsession. En fait, Gisèle croit que je ne peux pas vivre sans mes Froot Loops. Pour être honnête, je trouve ça un peu dégueu sur mes gaufres, mais ne dis rien, je ne veux pas la vexer.

En hochant la tête, il saisit mon assiette et fait tomber plusieurs céréales colorées dans la sienne.

— Voilà, ça t'en fera moins.

— Merci, t'avais pas besoin de te sacrifier.

— N'importe quoi pour toi.

– Comme c'est mignon ! fait une voix venant du seuil de la cuisine.

Corentin s'installe devant nous en repoussant une chaise bruyamment. Il se laisse tomber sur le cuir blanc et s'accoude sur la table en face de nous.

– Salut Tintin, as-tu mangé ?

– Pas faim.

Il tapote la table, regarde autour de lui, pour se relever aussitôt.

– J'ai des trucs à faire, je vous laisse en amoureux ! De toute façon, tu seras vite parti et on ne te reverra plus, pas vrai Lucien ?

– La ferme, Tintin.

– Pourquoi est-ce que je me tairais, hein ?

– T'avais dit que tout était nickel !

– Ça l'est, tant que t'es honnête avec elle !

Le ton commence à chauffer, et moi à être inquiète. Les deux garçons se dévisagent, les yeux noirs, la mâchoire serrée.

– De quoi est-ce que vous parlez ? ne puis-je m'empêcher de demander.

Lucien couvre ma main de la sienne.

– Rien, t'en fais pas.

Corentin éclate de rire. Son expression est bizarre, on dirait un Corentin que je ne connais pas !

— Il ne reviendra jamais, affirme-t-il. J'espère que t'en es consciente. Quand il partira, ce sera *sayonara*, merci, bonsoir. Sa vie sera beaucoup trop exaltante pour revenir perdre son temps au Québec !

Lucien ne dit rien, mais serre ma main plus fort. Des larmes chaudes montent en rivière jusqu'à mes paupières. Je retire ma main en tirant avec énergie.

— Je savais déjà que Lucien s'en allait, t'avais pas besoin de me le rappeler, Corentin. Je pensais que tu respectais mon choix. Je constate que c'est pas le cas ! Tu ne vas donc jamais l'accepter ? Excusez-moi, je vais monter à ma chambre, je ne me sens pas très bien, dis-je en me redressant brusquement.

Derrière moi, alors que je traverse le couloir qui mène à l'escalier, Lucien s'est levé d'un bond. Je me retourne juste avant d'arriver à la première marche. La scène n'est pas jolie. Il tient Corentin par le collet et l'a hissé contre le mur.

— Qu'est-ce que tu veux, hein, Tintin ? Elle t'aime pas. Tu ne peux rien y faire. Qu'elle soit heureuse deux jours de plus, ça t'aurait tué ? Et qu'est-ce qui te dit que je ne reviendrai pas ? Hein ?

— Je te connais, voilà comment je sais. Va-t'en tout de suite. T'es plus le bienvenu chez moi, marmonne Corentin.

Lucien le lâche et s'éloigne en reculant. Lorsqu'il relève la tête, il croise mon regard. À son air, je devine qu'il ne s'attendait pas à me voir là. Il a dû penser que j'étais déjà rendue dans ma chambre. Alors que j'ouvre la bouche pour parler, il lève la main pour m'arrêter. Il s'approche, me serre contre lui et murmure à mon oreille :

— Je suis désolé, Marie.

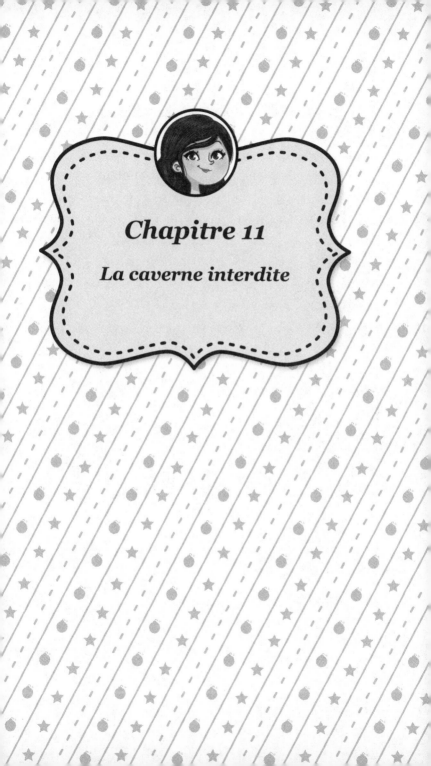

Chapitre 11

La caverne interdite

Deuxième porte à gauche, c'est là que je me rends, le cœur battant la chamade. Je cogne doucement, mais la musique que j'entends à travers le mur doit étouffer les autres bruits. Je frappe à nouveau.

– Quoi ! fait la voix de Samuel.

Aïe ! Il est vraiment de mauvais poil !

– Samuel, c'est Laura.

D'un clic rapide, la musique s'arrête. Du remue-ménage se fait entendre. Qu'est-ce qu'il est en train de faire ? On dirait qu'il détruit sa chambre.

– Allô ? dis-je d'une petite voix.

– Attends une minute !

– OK.

Encore quelques bangs, puis la porte s'ouvre. Samuel ne sourit pas, il semble préoccupé. Il porte un t-shirt gris et des jeans troués, ses cheveux auburn, en bataille, lui tombent sur le front et voilent son regard d'une façon si… mystérieuse. Rien pour m'aider à savoir s'il est content de me voir.

– Je te dérange, je peux m'en aller…

Il se tient sous le cadre de la porte, ne semble pas prêt à me laisser entrer. S'il pense me choquer avec son désordre, c'est qu'il me connaît bien mal.

– Samuel, tu viens manger ? l'appelle une dame que je n'ai jamais vue de ma vie.

— Non merci, j'ai pas faim !

Il pince les lèvres, me regarde et soupire.

— Viens, fait-il en reculant dans sa chambre.

La pièce est sombre malgré que le soleil soit au zénith. Ses rideaux sont fermés, ne laissant passer qu'un filet de lumière. J'ai l'impression d'entrer dans une caverne interdite. Les murs sont d'un bleu gris difficile à identifier à cause de la pénombre. Même si les couvertures semblent avoir été jetées rapidement sur le matelas, son lit est fait et une grosse pile de vêtements gît dans un coin sous la fenêtre, près de sa commode. Mais ce qui attire mon attention, ce n'est ni la couleur de ses murs, ni la propreté de sa chambre. Non, ce qui me frappe en pleine face, c'est plutôt l'immense *poster* laminé de P.K. Subban arborant le chandail rouge des Canadiens. Ce qui me jette à terre, ce sont aussi les casquettes accrochées au mur arborant le signe du CH et qui semblent ne jamais avoir été portées.

Je cligne des paupières plusieurs fois pour être certaine d'avoir bien vu. Samuel Desjardins serait-il un *fan* fini des Canadiens de Montréal en cachette ? Lui qui me nargue depuis la sixième dès que les Bruins de Boston gagnent contre les Canadiens ? Lui qui se dit le plus grand *fan* des Bruins ? C'est quoi ÇA ?

– On dirait que tu viens de découvrir mon secret… Laura, laisse-moi t'expliquer…

Je me retourne vers lui. Il a l'air triste avec ses mains dans les poches de ses jeans. En même temps, il n'a jamais été aussi beau.

– Alors, tu prends pour les Canadiens depuis toujours ?

Il acquiesce de la tête, son regard plongé dans le mien.

– Ouais…

– Pourquoi tu l'as pas dit ?

– Tu vas rire de moi…

Je me laisse choir sur la chaise à roulettes, mon sac glisse de mon épaule et tombe sur le plancher. Moi ? Je vais rire de lui ? C'est fou comme la situation est à l'inverse de mes craintes.

– Si tu promets de ne pas rire de moi de m'être enfuie hier soir, je promets de ne pas rire de toi.

Il s'assoit sur son lit, saisit les bras de plastique de ma chaise et me fait rouler vers lui. Nous sommes si près que mes genoux sont entre les siens. Je ravale ma salive lorsqu'il prend mes mains dans les siennes.

– Te niaiser concernant les Canadiens était la seule façon que j'avais trouvée pour te parler souvent. Tant que tu pensais qu'on n'était pas du même bord, j'avais des choses à te dire. Si tu savais à quel point je déteste les Bruins de Boston, en plus… Je ne manque jamais leurs matchs rien que pour les voir perdre.

— Woah… Je suis vraiment confuse, là…

— C'était pas super gentil, je l'admets, mais au moins, j'avais ton attention pendant quelques minutes.

— …

— Oh la la, Laura St-Amour qui n'a pas de réplique sarcastique. Les poules doivent avoir des dents, dit-il en souriant.

Nos yeux se croisent et nos doigts, déjà soudés, se resserrent d'un même empressement. Il ferme les yeux et, d'un élan qui me surprend moi-même, je dépose un baiser léger sur sa bouche. C'est doux et facile. Je recule, un peu gênée de m'être enhardie de la sorte. Il retourne une de mes paumes pour la frôler du bout de l'index. Son geste, pourtant simple, me donne des frissons !

— Pourquoi tu t'es enfuie, hier ?

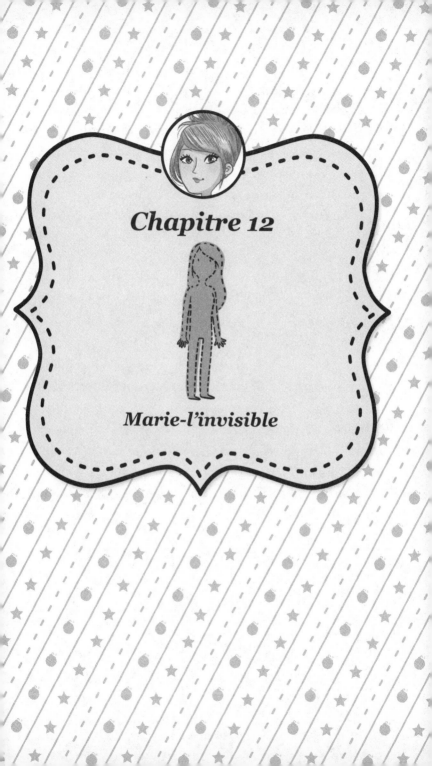

Chapitre 12

Marie-l'invisible

À la suite de l'ordre de Corentin de quitter sa maison au plus vite, Lucien est parti sans attendre. Bruno l'a raccompagné jusqu'à l'hôtel où sa mère loge. Le même que Harry Stone et son groupe Full Power. J'imagine qu'il ira à leur spectacle de ce soir au Centre Bell tout seul, finalement. Il m'avait invitée, j'aurais pu aller en coulisse, rester dans les loges. C'est raté. Mais ce n'est pas ce qui me déprime. Je me fiche de la grande sortie. Tout ce que je voulais, c'était Lucien. Or, je suis encore prise entre lui et Corentin. Malgré ma colère contre ce dernier qui a tout gâché, je ne peux pas faire autrement que de me demander s'il n'a pas raison. Lucien me brisera sûrement le cœur, même si je m'acharne à croire le contraire.

Découragée, je m'enferme dans ma chambre pour me vautrer dans mon lit et j'ouvre un roman. Évidemment, mes yeux lisent les mots alignés, sans que mon cerveau ne capte aucune signification, encore moins une parcelle de l'histoire. J'aimerais que Laura soit ici, mais elle est avec Samuel. J'espère que tout va bien, qu'il a été compréhensif et qu'elle ne sera pas déçue. Pas comme moi !

Je le savais déjà qu'avec Lucien, c'était perdu d'avance. Ce n'est pas Corentin qui me l'a appris. C'était clair depuis le début. Ce qui n'était pas clair, c'est à quel point Corentin était incapable de nous voir ensemble, et ce malgré ses belles paroles d'hier soir. Je l'ai blessé profondément, je le réalise maintenant. Je suis tout de même en colère contre lui. Quelques jours à se retenir, c'était tant lui demander? Une fois Lucien parti pour de bon, il aurait pu me faire la crise du siècle, ça n'aurait pas eu autant de répercussions.

Pour me changer les idées, j'attrape la télécommande et j'allume ma télévision. Ironie du sort, la première chaîne sur laquelle je tombe diffuse en gros plan le visage de Harry Stone qui répond, tout souriant, aux questions d'un journaliste à propos du show de ce soir. Il est différent, en personne, me dis-je, les yeux fixés sur l'écran. Il semble plus vivant sur un écran de télé. Puis, un frisson passe dans ma colonne lorsque le journaliste lui demande, dans son anglais maladroit:

– Avez-vous rencontré votre fameuse Cendrillon?

Et par la magie de la télé, ma photo virale apparaît au bas de l'écran. Je n'attends pas sa réponse, j'éteins rapidement. Comment ai-je pu croire que cette histoire était derrière moi? Ah oui, parce que j'étais dans les bras de Lucien Varnel-Smith et que, pendant ce temps-là, j'étais Marie-l'invincible. Maintenant, j'aimerais simplement redevenir Marie-l'invisible et me terrer sous mes couvertures pendant quelques semaines.

Des coups à ma porte me sortent de mes pensées. Je fais comme si je n'étais pas là. Ça cogne encore, et encore.

— Y a personne !

— Marie-Douce, laisse-moi entrer, s'il te plaît.

C'est Corentin. Il est la dernière personne que j'ai le goût de voir en ce moment.

— Laisse-moi tranquille.

Mais il n'abandonne pas.

— Pas avant de t'avoir parlé ! Je vais frapper sans arrêt, jusqu'à ce que tu ouvres cette foutue porte.

Bang ! Bang ! Bang !

Bang ! Bang ! Bang !

Bang ! Bang ! Bang !

J'ai beau couvrir mes oreilles avec mon oreiller, rien n'y fait. Le bruit est d'une sonorité sourde, on dirait qu'il cogne avec son pied. Corentin peut être très tenace, quand il a quelque chose en tête.

— OK ! Tu peux entrer !

— Viens ouvrir la porte, j'ai les mains pleines.

Bang ! Bang ! Bang !

— Ça va, ça va… j'arrive !

J'ouvre sur un Corentin tenant un gros *sundae* au chocolat dans chaque main.

– Le tien, c'est celui avec une cerise. Il contient des noix. Moi, j'aime mieux sans.

Je regarde les deux coupes de crème glacée d'un air découragé.

– Corentin, qu'est-ce que tu fais ?

Sans répondre à ma question, il entre et dépose les coupes sur ma table de travail avant de me tendre une cuillère au long manche.

– Goûte au moins. Allez, fais-moi plaisir.

Je m'assois sur mon lit en haussant les épaules. Le cœur me lève juste à l'idée de prendre une bouchée.

– Allez !

Je saisis l'ustensile que je laisse pendouiller distraitement.

– Corentin, tu te sens coupable pour tout à l'heure et tu essaies de te racheter ? Ben, ça ne marche pas. J'ai pas envie de te voir tout de suite. Laisse-moi du temps, OK ?

Mon ami se laisse tomber sur le lit de Laura, les mains dans la face.

– Je suis désolée, Marie-Douce. J'ai été con. Mais quand il s'agit de toi… j'ai du mal à m'en empêcher.

— Est-ce que tu détestes Lucien ?

— Tu veux rire ? J'adore Lucien, c'est le meilleur ami que j'ai jamais eu. Il se jetterait devant un autobus pour moi et moi de même. Mais regarde comment je l'ai traité. Et toi... tu connais mes sentiments, j'ai toujours été clair. C'est...

— ... difficile ?

— Oui, c'est exact. J'ai l'impression que mon cœur va se fendre en deux.

— Moi aussi, dis-je sans hésiter. Je t'aime énormément, Corentin.

Toujours couché sur le lit, il soulève un peu la tête pour me regarder.

— Mais pas comme t'aimes Lucien.

J'émets un petit rire triste.

— C'est dur d'aimer quelqu'un qu'on ne reverra jamais, t'sais.

Puis, j'agrandis les yeux, je ne voulais pas être si précise. Aimer... c'est un grand mot.

— Va pas lui dire que je l'*aime*, là ! T'es bien capable de me gâcher mon aveu. Je commence à te connaître.

— Il le sait déjà. Et à voir comment il te regarde, je pense qu'il t'aime aussi. Je le connais et je ne l'ai jamais vu être avec une autre fille comme il est avec toi. C'est... différent. Je l'ai peut-être mal jugé.

D'un mouvement nerveux, Corentin se redresse, tentant de sourire malgré la douleur imprimée sur chaque trait de son visage.

— Il reviendra, dit-il, sûrement pour me rassurer plus qu'autre chose. Il ne sera plus le même, mais il reviendra.

Chapitre 13

Pas une parmi d'autres

Samuel a compris pourquoi j'avais fui sans que j'aie à lui expliquer longtemps. Peur de la situation, peur des qu'en-dira-t-on, peur de lui, de moi, de… euh… mal embrasser. Depuis qu'il m'a avoué son mensonge énorme concernant les Bruins et les Canadiens, j'ai moins de crainte à être moi-même. Je peux lui dire mes peurs les plus stupides. Il a écouté mes confidences avec respect. Il n'a pas ri de moi, ne m'a pas fait sentir ridicule. Il m'a juste serrée dans ses bras.

Nous sommes sortis de sa chambre, main dans la main. Constance et Samantha nous ont dévisagés comme si elles avaient devant elles un phénomène inexpliqué. Sans tenir compte de sa sœur et de sa tante, Samuel m'a guidée vers la porte pour m'accompagner jusqu'à chez moi.

– On pourra arrêter sur la butte derrière le Café du Musée. C'est là qu'on se tient souvent, dis-je.

– Je le sais… Ça fait deux ans que je t'observe, répond-il en riant.

Nous marchons à pas lents. Je veux savourer cet instant précieux avec lui et je le soupçonne de souhaiter la même chose. Nous atteignons la butte et nous asseyons l'un contre l'autre, grisés par ce nouveau lien qui nous unit. Plusieurs minutes, nous gardons le silence alors qu'une multitude de questions bataillent dans ma tête.

— Pourquoi t'es sorti avec Érica? Est-ce que tu l'aimais?

Il accueille ma question en secouant la tête.

— Non. Ben, je veux dire... elle est pas compliquée. Pas comme toi, en tout cas.

— Je suis si compliquée que ça?

Il entoure mes épaules de son bras.

— Toi, t'es difficile à approcher, c'est tout. Tu m'as souvent dit, et de plusieurs façons, de me tenir loin. C'est ce que j'ai fait.

— Alors qu'Érica, elle était pas gênée de te courir après. Tu t'es simplement penché pour la ramasser...

— Hé, c'est pas exactement ça. Avec Érica, c'était une chose, avec toi, c'en est une autre. Pourquoi vouloir tout analyser?

Je détourne le visage. Il ne répond pas clairement à ma question, ça m'énerve.

— Tu sortais avec Érica jusqu'à hier, aujourd'hui, c'est avec moi...

Il m'interrompt en riant.

— Ah, parce qu'on sort ensemble?

Sa question doit être une blague. C'est sûr que c'en est une. Mais peut-être pas ! À cette pensée, je cesse de respirer.

– Hé, panique pas, je niaisais, dit-il.

Je ravale ma salive sans répondre. De ses doigts, il saisit une mèche de mes cheveux pour l'écarter de mon visage. Sa douceur me surprend, je ne pensais pas que Samuel Desjardins pouvait être si… euh… délicat.

– Laura St-Amour, est-ce que tu veux sortir avec moi ?

Il est peut-être sérieux, mais j'entends un ton de moquerie dans sa voix. Il a raison, j'analyse tout. Chaque mot, chaque geste, chaque petit détail de ses mouvements. Et là, le fait qu'il me pose LA question que je voulais entendre depuis des mois avec un brin de rire dans la voix me fait hésiter. Il y a aussi autre chose qui me chicote.

– Je ne sais pas.

Son regard change, il s'écarte un peu.

– Ah… OK.

Je soupire. Misère que c'est compliqué !

– Hier encore, tu sortais avec Érica. Et là, on va arriver lundi et ce sera avec moi ? C'est un peu vite, je trouve. Ça me met mal à l'aise.

— T'as peur de ce que les autres diront ? Je ne te pensais pas comme ça, Laura St-Amour. Tu me déçois.

— Je ne veux pas être une fille parmi d'autres.

Je me lève d'un bond. J'ai besoin de réfléchir et d'aller respirer ailleurs.

— C'est pas le cas… Laura, t'en va pas…

— J'ai euh… des choses à faire.

— Laura !

— Laisse-moi du temps, OK ?

Samuel se lève, il a l'air fâché. Deux de ses amis du hockey passent en vélo. Ils le sifflent et Samuel les salue de la main avant de marcher vers eux sans se retourner.

Mes poumons se dégonflent. Voilà pour ma grande histoire d'amour. Ça n'aura pas duré longtemps. Je pensais qu'il comprendrait mon hésitation, il semble que je me sois trompée.

Le cœur dans les souliers, je marche lentement vers chez moi. Je me force à ne pas me retourner pour le voir rire avec ses chums.

À mon arrivée devant la maison, j'aperçois une Jeep de style militaire familière garée dans l'entrée, juste à côté de la voiture rouge de maman. Moi qui avais tant essayé de faire comme s'il n'existait plus… Mon père est là, il ne manquait plus que ça.

Chapitre 14

Foin magique

J'ai fini par engloutir le fameux *sundae* aux noix que Corentin m'avait apporté pour soulager son sentiment de culpabilité. Après tout, avec toutes ces émotions, je n'avais pas dîné.

Grande nouvelle : pour ma fête, j'ai reçu un iPhone. Je viens tout juste d'avoir l'occasion de l'ouvrir pour commencer à m'en servir. J'étais un peu intimidée et Corentin a bien ri de moi. « Les orangs-outans sont capables de l'utiliser, je suis certain que tu arriveras à te débrouiller », m'a-t-il dit en s'esclaffant.

Il m'a donné l'adresse courriel de Laura. Nous pourrons désormais ne jamais nous manquer, même quand nous ne sommes pas ensemble.

— T'es chanceuse, t'auras internet partout, alors que Laura a besoin du WiFi.

— Du quoi ?

Corentin roule les yeux vers le plafond.

— Laisse tomber !

Nous passons une heure à décortiquer chaque application qu'il m'a fait installer dans mon téléphone. Lorsque je lui demande d'ajouter celle avec les jardins, il ne comprend pas trop.

— Oui, oui, tu sais, le jeu avec du foin magique ! Laura l'a sur son iPod, je le veux aussi !

– Il y a des dizaines de jeux avec du foin, proteste-t-il.

Puis, la lumière naît dans son regard.

– Aaaah, tu veux le Village des Schtroumpfs ! J'ai vu Laura rager parce que ses récoltes étaient mortes. Tu serais mieux avec Hay Day, le maïs ne meurt pas, même si tu l'oublies plusieurs jours.

– Je peux avoir les deux, alors ?

– Bien sûr. Mais, je t'avertis, ces jeux causent une solide dépendance.

– Tant mieux, tu sais comme moi que j'ai grand besoin de distractions faciles.

Corentin me lance un regard triste.

– C'est de ma faute.

Je dépose une main sur son bras.

– Tu peux me donner son courriel ?

Corentin pince les lèvres. Zut, j'ai gaffé. Je devrais ménager ses sentiments.

– Tu sais, Marie-Douce, je pense que tu ferais mieux de couper les ponts avec lui. Entretenir une relation à distance, ça sera difficile. Je pense qu'il faudrait que tu passes à autre chose…

– Autre chose comme quoi ? Sortir avec toi ?

Ma question est cinglante, j'en suis consciente, mais c'est plus fort que moi. Comment ose-t-il essayer de couper mes communications avec Lucien ?

— Non, ça, c'est une cause perdue. C'est seulement que… je vois ça d'ici. Toi devant ton iPhone, à te morfondre parce que monsieur Varnel-Smith n'a pas eu deux secondes pour t'écrire ou te téléphoner ce jour-là. Je ne sais pas ce que ta mère a pensé de t'acheter un iPhone, tu seras esclave de ton téléphone.

Alors qu'il dit ces choses atroces, mais tellement vraies, je fais passer mon nouveau jouet d'une main à l'autre, pensive. Que dirait Nathalie, la mère de Laura ? Elle est toujours de si bon conseil. D'y aller avec mon cœur, évidemment ! Et dans mon cœur, je veux l'adresse courriel de Lucien.

— Laisse-moi être juge de mes propres actions, OK ?

Avec un soupir exagéré, Corentin me prend mon appareil et se met à tapoter sur la vitre. Quelques secondes plus tard, il me le tend.

— Tiens. Je l'ai mis dans tes contacts. Viens pas te plaindre quand il fera la sourde oreille.

— T'es pas lui, tu ne peux pas prévoir ce qu'il fera.

— Je connais ce milieu, et n'oublie pas que j'ai connu Harry Stone avant qu'il ne soit une grande *star*. Il n'a pas gardé contact avec sa petite amie de l'époque, ça, tu peux en être certaine. Pire que ça ! Elle l'a vu à la télé et dans les journaux au bras de différentes filles. Elle a tellement pleuré qu'elle aurait pu remplir la mer Noire.

– Mais Lucien, c'est pas Harry.

– Lucien, c'est Harry, et Harry, c'est tout gars ordinaire qui entre dans la grande machine à fabriquer des célébrités.

– Ah ! Tu vois ?

Je me suis exclamée si fort que Corentin fait un saut.

– Quoi ? demande-t-il. Je suis censé voir quoi ?

– Lucien, c'est pas un gars « ordinaire », alors ton argument ne tient pas la route.

Pour toute réponse, Corentin soupire, se lève et sort de ma chambre sans se retourner. Je devrais vraiment apprendre à faire attention à ce que je dis à Corentin au sujet de Lucien.

Chapitre 15

La visite de G.I. Joe

J'ai très envie de faire demi-tour et de retourner chez Corentin. Puis, je soupire et me dis que tôt ou tard, je devrai faire face à cette nouvelle réalité. Mon père est là, moi qui l'avais tant espéré. Certes, il a désormais une famille où je n'ai pas ma place, mais c'est encore mon père et je l'aime. Il me manque, d'une certaine façon, même si je suis en colère contre lui. Je me sens trahie. J'espère que Martine, sa nouvelle femme, et leur bébé ne sont pas avec lui. C'est trop d'émotions dans la même journée.

Par la fenêtre, ils ont dû me voir hésiter à entrer parce que la porte s'ouvre avant que je puisse décamper. Mon père est debout sur le seuil. Toujours aussi grand et colossal. On dirait un G.I. Joe aux cheveux presque noirs. Il me fait un petit sourire et je comprends rapidement qu'il m'attendait.

– Salut, dis-je, sans enthousiasme.

– Salut…

Nous nous embrassons avec une maladresse atroce. Mon père n'a jamais su comment s'y prendre avec moi, mais il essaie, il faut lui donner ça.

– Ça fait longtemps que t'es là ?

– Environ vingt minutes…, répond-il.

Nous entrons et j'aperçois ma mère assise à la table de la cuisine. Je l'embrasse aussi et la serre dans mes bras. C'est si facile avec maman, ça l'a toujours été.

— Assois-toi, Laura, me dit-elle.

Mon regard, maintenant inquiet, passe de ma mère à mon père qui a croisé les bras sur sa poitrine. Mon père prend place en face de maman, je me retrouve donc entre les deux. L'atmosphère est à trancher au couteau. Ont-ils une mauvaise nouvelle à m'annoncer?

— Qu'est-ce qui se passe? Vous avez des têtes d'enterrement.

— Rien de mal, dit mon père. Je voulais t'inviter à passer la journée de demain à la maison. Tu pourras rencontrer Frédérique.

— Frédérique? C'est le bébé, ça?

Je ne sais même pas si c'est un garçon ou une fille!

— Ta sœur, dit mon père, répondant à ma question muette.

Mon cœur s'arrête une fraction de seconde. Ma sœur… J'ai une vraie sœur.

— Alors, c'est une fille…

Ma mère sourit.

— Toi qui as toujours voulu avoir une sœur…

— J'en ai déjà une, c'est Marie-Douce, dis-je d'un ton cassant.

— Alors, coupe mon père, est-ce que tu viendras demain ? Je passerai te chercher vers… 10 heures.

Je consulte ma mère du regard. Est-ce que ça lui fera de la peine que j'aille voir mon père ? C'est stupide, mais j'ai peur qu'elle se sente trahie. Après tout, c'est elle qui s'est occupée de moi depuis tout ce temps, pas lui… Nous avons vécu seules pendant des mois avant qu'elle rencontre Hugo et refasse sa vie.

— Vas-y, Laura, c'est important que tu fasses la connaissance de ta nouvelle famille.

— Mais, ma famille, c'est toi, maman. Avec Hugo et Marie-Douce…

J'évite le regard de mon père, mais je sens la tension qui monte. Il s'est raidi. Je viens de le vexer, c'est clair, mais il n'avait qu'à pas faire de bébé dans mon dos !

— Je ne te demande pas de faire comme si tout était normal la première journée, dit-il. Viens juste passer du temps avec nous. Martine est gentille, tu vas voir. Et Frédérique te ressemble beaucoup.

Un ange passe. Ni ma mère ni mon père n'ajoutent un seul mot. Je les dévisage l'un et l'autre avant de soupirer.

— OK, j'irai.

Chapitre 16

Mauvaise adresse

C'est dimanche matin. J'ai dormi seule, Laura est chez nos autres parents, c'est-à-dire chez sa mère et mon père. Ça fait drôle de ne pas être ensemble, j'espère qu'on ne fera pas ça trop souvent.

Hier soir, la première chose que j'ai faite une fois seule, c'est d'écrire à Lucien.

« Salut, Corentin m'a donné ton courriel. Ça va un peu mieux, même s'il est triste. Écris-moi vite, Marie »

Ensuite, j'ai passé une soirée horrible. J'aurais dû aller rejoindre Laura chez papa. À la place, j'ai été obsédée par mon iPhone exactement comme me l'avait prédit Corentin.

C'est une catastrophe, cette petite machine. Avant, j'étais libre de mes mouvements, je n'avais pas ce boulet dans les mains qui me rappelle à lui sans cesse.

Entre ma boîte à courriel cruellement vide, mes récoltes de blé sur Hay Day et de bleuets rapides dans le Village des Schtroumpfs, je n'ai rien fait à part discuter avec Laura par messages texte.

Corentin est allé au show des Full Power et a tout fait pour me convaincre de le suivre. J'ai refusé mille fois. Je voulais que ce soit Lucien qui m'invite lui-même. D'ailleurs, sa réponse n'est jamais arrivée. À la place, tard hier soir, j'ai reçu un message provenant d'un total inconnu :

> **Azrael66611**
> Je ne vous connais pas, vous devez avoir écrit à la mauvaise adresse. Désolé, je ne me nomme pas Lucien.

À la lecture de ce texto d'un Azrael que je ne connais visiblement pas, je suis perplexe. Corentin l'a-t-il fait exprès ? Ce matin, avant même de mettre le pied hors du lit, je pose la question à Laura, en la textant, pour voir ce qu'elle en pense.

> **Laura12**
> Moi, je crois qu'il s'est trompé d'un chiffre volontairement . Je suis sûre qu'il ne veut pas que tu parles à Lucien. Faudrait lui demander la BONNE adresse ! Attends, je vais m'en mêler, moi !

DouceMarie144

Non ! Laura ! Stp, dis rien...

Laura12

Pffff, dommage que mon père s'en vienne me chercher dans quelques minutes ! Je lui aurais parlé dans le casque, moi, à Cocoleclown !

DouceMarie144

Tu t'en vas chez ton père ? C'est super ! Hé, c'était comment avec Samuel hier ?

Laura12

Ouais, mon père est sorti de nulle part hier, il m'a invitée. Je te verrai donc seulement ce soir. On dort chez ton père, OK ?

DouceMarie144

OK pour chez mon père. Mais Samuel? Raconte un peu !

Laura12

J'ai été fidèle à moi-même 😒 C'est-à-dire… une catastrophe. ☹️ Et tu devrais voir le nombre de textos qui m'attendent ! La soirée d'hier a fait jaser, ça va être beau, lundi, quand on va revenir à l'école. Je prie pour que la présence de Harry Stone ait détourné leur attention de ma balade dans le placard. Bon, je dois y aller, je te raconte tout ce soir ! xxx

Il est déjà 10h du matin. La bonne nouvelle, c'est que je n'ai pas de cours de quoi que ce soit aujourd'hui. Madame Lessard a annulé. En réalité, me faire donner des ordres par la marâtre aurait peut-être été bénéfique. Ça m'aurait changé les idées pour une petite heure.

Mon ventre crie famine, je dois sortir de mon lit et aller manger. Je me demande si Corentin a dormi à l'hôtel avec sa gang d'amis ou s'il est sagement revenu à la maison. Gisèle, la cuisinière, le saura sûrement.

Au rez-de-chaussée, Gisèle chantonne, alors que ma mère et Valentin prennent tranquillement leur café au lait dans la verrière meublée de rotin blanc. Miranda lève les yeux vers moi et me fait son sourire des grands jours.

— Ma puuuuce ! Viens t'asseoir avec nous ! Veux-tu un jus d'orange ? Gisèle vient tout juste de le presser. Il y a des croissants, des danoises…

— Je peux avoir un café ?

Ma mère me jette un regard scandalisé.

— Je niaisais, dis-je d'une voix lasse.

Je m'approche lentement et, du bout des doigts, je choisis une brioche à la cannelle encore tiède. Valentin lève les yeux de son iPad quelques fractions de seconde pour m'indiquer qu'il a perçu ma présence. Son attention à mon endroit n'est pas longue. Hop ! Il est déjà retourné à son écran tactile. Mon père et Nathalie n'ont pas ce genre d'habitudes, et ce n'est qu'aujourd'hui que j'en prends conscience. Eux se parlent, se touchent, rient ensemble. Pauvre Miranda, ça doit être bien plate de déjeuner avec un amoureux qui ne lui parle pas. Promesse à moi-même : ne jamais accepter ça.

— Prends une assiette, voyons, ma puuuce !

— Est-ce que Corentin dort encore ?

— Oh ma puce, tu n'es pas allée au spectacle de Harry, hier soir. C'est dommage ! Il aurait bien aimé que tu sois là. Jessica m'a écrit sur Facebook pour me dire que tout le groupe regrettait ton absence.

Voilà que Miranda parle de Harry Stone comme s'il était de la famille. On aura tout vu. Comme si Full Power était perturbé parce que je n'y étais pas. C'est ridicule.

— Non, hum, je… hum, non, j'y suis pas allée.

Valentin lève ses yeux noirs vers moi et hausse un sourcil.

— Qu'est-ce qui se passe, Marie-Douce ? demande-t-il. Est-ce que tout va bien entre toi et Corentin ?

— Oui ! Oui ! C'est juste que…

— Tu voulais y aller avec Lucien, c'est ça, ma puce ? Jessica m'a écrit autre chose, sur Facebook. Il semble que Lucien ait demandé de quitter le Québec plus tôt que prévu. Est-ce que ça a un lien avec toi ?

BLINK !

Mon assiette de porcelaine vient de se fracasser en mille miettes sur le plancher de marbre. Je dois être blanche comme un drap, parce que Valentin se lève pour m'aider à m'asseoir.

Chapitre 17

Ma nouvelle famille

Martine, la femme de papa, m'attend avec bébé Frédérique sur les genoux. Mon arrivée chez mon père est pénible. J'ai une boule de nervosité dans la gorge, j'ai les mains moites et tout ce que je souhaite, c'est d'entrer, dire allô à Martine, faire guili-guili au bébé pour paraître avoir fait un effort (j'aime pas les bébés!) et filer de là au plus vite. De toute façon, est-ce que mon père et moi aurons la relation dont je rêvais? Nous ne l'avions pas avant donc j'en doute fort. Alors pourquoi me forcer?

La maison est un bungalow typique des années 70, briques blanches, toit noir, terrain avec du gazon vert et super bien coupé. L'intérieur, par contre, ressemble à un catalogue Ikea, le genre de décor aux couleurs vives trop bien coordonnées. Ça ne va pas avec le style de l'architecture. Je me serais attendue à voir de gros divans bruns en velours (sans le plastique des meubles de madame Bibeau, bien entendu). J'aime mieux chez ma mère, c'est plus un style «improvisé». Un peu de désordre n'a jamais tué personne! Ici, c'est comme chez Corentin, mais en moins chic et moins spacieux. Mon père n'a pas le même budget déco que Valentin Cœur-de-Lion, c'est clair.

Ce n'est pas mon genre de m'attarder davantage au décor qu'aux humains qui se trouvent devant moi. Peut-être ai-je besoin d'un peu de temps pour m'adapter à la situation avant de foncer et de rencontrer ma nouvelle famille? Mon père semble l'avoir compris, il a fait signe à Martine de ne pas m'approcher. Il me connaît mieux que je le pensais, j'apprécie sa délicatesse, j'en suis même étonnée.

Un peu hésitant, papa pose une main légère sur mon épaule.

— Tu veux venir t'asseoir dans le salon?

— OK… Elle a quel âge?

Encouragée par ma question, Martine s'avance un peu et sourit.

— Elle a cinq mois et demi.

La petite agite ses bras et ses jambes potelées comme si elle savait qu'on parle d'elle. Lorsqu'elle me fait un ptttttt avec sa langue saliveuse pour me saluer et éclate de rire, je ne peux faire autrement que rire à mon tour.

— Elle me ressemble quand j'étais bébé, dis-je.

— Alors elle sera très jolie, dit Martine.

— Merci, t'es pas obligée de dire ça…

— Oh, mais je le pense! proteste-t-elle en tendant le bébé à mon père.

Daniel St-Amour est une armoire à glace. Très grand, bâti comme un *tank*, cheveux et yeux marron foncé. Dans ses bras, le bébé a l'air d'un ajout photoshopé sur une image numérisée. C'est bizarre comme portrait, mais plutôt attendrissant. Il a changé, mon père. J'ai l'impression de ne plus le connaître. Au fond, c'est peut-être moi qui ai changé. Ça fait tellement longtemps qu'on ne s'est pas vus. Nous nous sommes déconnectés, on dirait.

Et Martine, elle semble gentille. J'espère qu'elle l'est pour de vrai, et non juste pour faire plaisir à mon père...

— Veux-tu prendre ta sœur ? demande papa.

— Noon, merci ! Ça va aller ! Je veux dire, une autre fois, peut-être...

Quand elle aura dix ans et qu'elle ne bavera plus sur mon linge. On dirait un petit singe sans fourrure. Très peu pour moi...

— Aie pas peur, elle est pas si fragile... m'encourage mon père.

Et Martine de renchérir :

— C'est vrai ! Elle tient bien sa tête, ce n'est plus un bébé naissant, y a rien à craindre !

— Allez, Laura, ajoute mon père, je suis certaine qu'elle veut voir sa grande sœur...

Martine s'apprête à ouvrir la bouche pour en rajouter et le singe fait un autre pttttt. À eux trois, ils ont l'air d'une vraie petite famille heureuse et tout à coup, j'ai une boule dans la gorge. Un autre beau trio, pareil à celui qu'on formait, avant.

— J'ai dit non !

Tous les trois se taisent en même temps. Frédérique me fait de grands yeux et se met à pleurer.

— Je m'excuse… je ne voulais pas crier. Je ne suis pas prête, OK ?

Martine s'empresse de prendre Frédérique pour la mettre dans sa petite balançoire musicale.

— Daniel, prépare un biberon, s'il te plaît !

Puis, elle se retourne vers moi.

— Elle pleure parce qu'elle a faim. T'en fais pas.

Martine force un sourire, je vois bien qu'elle est stressée. Elle semble du genre à vouloir plaire à tout le monde. Comment une femme aussi sensible a-t-elle bien pu se retrouver dans l'armée ? Avec ses cheveux châtain clair un peu frisés qui tombent sur ses épaules blanches et frêles, son petit nez retroussé, ses grands yeux verts dans lesquels elle ne peut pas cacher ses émotions, c'est un drôle de *match* avec mon père. Valentin et Miranda sont bien assortis, tous deux faits de plastique qui sent le neuf.

Ma mère et Hugo aussi, deux personnes de nature vive et douce, qui rigolent ensemble et se regardent toujours avec tendresse. Ici, c'est différent. Mon père ne cadre pas dans ce décor. Avec la carrure qu'il a, il brisera à coup sûr les meubles fragiles dont cette maison est garnie! Et comment cette petite femme délicate peut-elle tenir tête à ce G.I. JOE tout droit sorti d'une scène des *Avengers*? J'aimerais bien le voir changer une couche, avec ses grosses mains! Ha! Ha! Ha!

— Laura? Est-ce que ça va? fait la voix inquiète de Martine.

J'étais dans la lune.

— Oui, ça va. Quand est-ce que mon père repart en mission?

— Je vais le laisser te parler de ça lui-même. Pour l'instant, as-tu faim? J'avais prévu faire des crêpes, t'en veux?

Même si j'ai l'estomac noué, mon ventre gargouille depuis mon arrivée.

— J'ai même de la crème fouettée en canne, ajoute-t-elle.

Je regarde mon père qui revient avec un biberon rose. Il me fait un sourire gêné. Il s'est souvenu de ma faiblesse pour la crème fouettée. Ça me touche. Décidément, il essaie fort.

– OK, mais avez-vous des fraises ?

– Pas de fraises, mais on a des framboises fraîches, est-ce que ça fait la *job* ? demande-t-il.

Nous nous fixons quelques instants : on dirait qu'il vient de me poser une question vitale. Il semble attendre ma réponse avec beaucoup d'anticipation. Nos regards marron si semblables se soudent plusieurs secondes. Je réalise tout à coup que mon père est aussi nerveux que moi à l'idée de me revoir et ne sait pas non plus comment s'y prendre. Je le vois dans les plis sur son front et dans la grande inspiration qu'il vient de prendre, comme s'il cherchait son air. Émue, je sens des larmes monter à mes paupières.

– Ouais… ça fait la *job*…

Ma voix se casse, j'ai du mal à finir ma phrase. Avec un froncement de ses sourcils noirs, il lève les bras et je m'élance contre lui alors qu'il se penche pour me soulever de terre, me serrant très fort.

– Tu m'as manqué, tu sais pas à quel point, murmure-t-il.

– Toi aussi, papa…

Il ne desserre pas son étreinte et dépose un baiser sur ma tempe. La dernière fois qu'il a fait ça, je devais avoir sept ans.

– T'es mon bébé aussi, je t'ai pas remplacée, OK?

– OK, dis-je en reniflant et en riant en même temps.

Chapitre 18

Encerclée!

En ce lundi matin d'école, Laura et moi avons du mal à ouvrir l'œil. Nous avions tant de choses à nous raconter hier soir que nous avons veillé jusqu'à minuit. Ses retrouvailles avec son père semblent avoir été intenses. Son histoire avec Samuel est devenue compliquée (pour être honnête, je suis d'avis que Laura voit des problèmes là où il n'y en pas, mais je la soutiens quand même).

Nous avons décortiqué chaque détail de sa journée, dressant un tableau sur une page de notre calepin « Les filles modèles » pour l'aider à mieux évaluer ce qu'elle doit faire au sujet de Samuel. Résultat : elle n'est pas plus avancée. Elle m'a même fait la danse du bacon dans son lit pour faire sortir ses frustrations. De mon côté, je n'ai reçu aucune autre nouvelle de Lucien. Corentin m'a juré qu'il m'a donné le bon courriel, qu'Azrael66611 correspond exactement à l'adresse Hotmail qu'il m'a fournie. Il m'a même montré des messages qu'il a échangés avec Lucien sur son propre iPhone. Lorsque j'ai vu la preuve sur l'écran tactile de mon ami, mon cœur s'est brisé. Lucien a donc décidé de couper les ponts pour de bon, et ce, sans savourer nos derniers jours ensemble. Peut-être devrais-je le remercier. Il nous évite des adieux pénibles. Il m'épargne aussi des mois à attendre un retour qui ne viendra pas.

La coupure est nette, douloureuse et cruelle, mais c'est mieux ainsi. Enfin, je pense.

Bruno nous attend dans le garage. Ce matin, il laisse tomber la limousine au profit de la Mercedes normalement conduite par ma mère. Je préfère ça.

Serrés comme des sardines sur la banquette arrière, nous roulons en silence, chacun perdu dans ses pensées. Laura anticipe de revoir Samuel, alors que moi, je suis juste vide. Je n'ai personne à voir à l'école, autre que mes profs qui n'en ont rien à faire de mes problèmes de cœur. Corentin, pour sa part, est fidèle à lui-même. Il me lance des regards tristes pour ensuite se concentrer sur le paysage du boulevard Saint-Charles qui défile. IGA, McDo, Dairy Queen… Rien de palpitant.

Avec tout ce qui s'est produit durant les deux derniers jours, j'ai oublié à quel point notre petit bal avec Harry Stone et Lucien avait créé de l'euphorie chez mes amis. Nous descendons de la voiture blanche dans le stationnement, à plusieurs dizaines de mètres de l'entrée de l'école. Laura passe son bras sous le mien et me tient fort.

— Respire… dis-je en riant un peu.

— Facile à dire !

— Sois *cool*, Laura, suggère Corentin.

— Je suis toujours *cool*.

– Tu m'en diras tant! la taquine-t-il.

– Toi, si tu t'avises de te mêler de mes histoires avec Samuel, t'auras affaire à moi! le menace Laura.

– À moi aussi, dis-je pour soutenir ma sœur.

– J'ai même *pâs* peur, s'esclaffe Corentin.

– Hé, Marie-Douce, as-tu entendu ça?

– Ouaip! Notre FrOnçais commence à sonner pas mal québécois! Répète donc ce que tu viens de dire?

– Non! Vous me saoulez, toutes les deux! se défend-il.

Drôle comme son accent européen vient de réapparaître! Sérieusement, à force de nous côtoyer, Corentin se québécise un peu plus chaque jour. Je n'avais pas remarqué jusqu'à ce que Laura pointe l'évidence. Il faut dire que je ne vois pas grand-chose de ce qui se passe autour de moi. Je me sens poche, je devrais être plus attentive aux autres. Après tout, le monde ne tourne pas autour de Lucien Varnel-Smith et de mon petit cœur brisé!

En approchant de l'école, j'aperçois Érica St-Onge qui vient dans notre direction. Non seulement je la vois, mais je sens que mon bras aura tout un hématome au coude si Laura ne se calme pas.

– Respire… c'est juste Érica, elle ne te mangera pas… T'es même pas obligée de lui adresser la parole.

La fille aux longs cheveux bruns parfaitement coiffés (comme à son habitude) ne vient pas nous voir, elle s'arrête plutôt près de l'entrée pour discuter avec Alexandrine Dumais. D'où nous sommes, nous ne pouvons pas entendre ce qu'elles se disent, mais leur regard qui se fixe sur Laura est facile à interpréter. Elles parlent de ma sœur, c'est clair.

– Je pensais qu'elles ne se fréquentaient plus, ces deux-là, murmure Laura.

– On n'entend pas leur conversation. Je suis sûre qu'Alexandrine est en train de prendre ta défense, dis-je, en réalité peu sûre de mon affirmation.

Alexandrine est très franche et directe, mais elle est l'amie de qui, aujourd'hui ? J'ai du mal à la suivre. Très vite, notre attention est détournée vers de nouveaux arrivants.

Deux garçons de secondaire 4 viennent à la rencontre de Corentin et lui font une poignée de main à la chorégraphie hyper compliquée dont seuls les grands amis ont le secret. Du coup, je suis perplexe. J'ai dû en perdre de longs bouts depuis le début des classes, parce que je n'ai jamais même songé que Corentin puisse avoir d'autres amis que Laura et moi!

— La fameuse Marie-Douce? fait l'un d'eux.

Le garçon est aussi blond que moi et son visage rieur est à demi caché derrière une frange rebelle qui tombe jusqu'à sa bouche. J'appelle ça la mode du cyclope. Voir d'un seul œil au nom du style, désolée, je ne comprends pas. Il semble mignon en plus, pourquoi se cacher? Arrfff, je sonne comme ma mère...

L'autre, je le connais de nom, c'est Xavier Masson. Il se tient avec Samuel. Je pense qu'il est nouveau à l'école, je ne l'ai jamais croisé avant cette année. Il est grand, porte ses cheveux bruns un peu trop longs à mon goût et c'est un champion de skateboard. Décidément, Corentin n'a jamais de fréquentations qui se fondent dans le décor!

— Si, c'est bien la célèbre Marie-Douce et voici Laura, nous présente Corentin. Laura, Marie-Douce, voici Xavier Masson et Kevin Cartier.

— Salut! disent les deux gars à l'unisson.

Le grand brun prénommé Xavier regarde Laura avec un intérêt surprenant. Il s'apprêtait à dire quelque chose, mais Laura roule les yeux et tire sur mon bras.

– On te laisse avec tes « potes », dit-elle à Corentin.

Nous traversons la section des secondaires 4 et 5 pour nous retrouver devant la salle F, qui fourmille d'élèves de notre niveau. Il reste une bonne quinzaine de minutes avant que la cloche sonne. Je ratisse la salle comme un radar pour voir si Samuel est là. Si oui, Laura l'a déjà repéré, c'est sûr.

– Il vient d'ouvrir son casier, dit-elle.

Qu'est-ce que je disais ? Un œil de lynx.

– Va le voir, Laura…

– Je pense que j'ai mal au ventre. Je vais aller aux toilettes…

– Attends, ses amis viennent de le tirer vers leur table habituelle.

Je soupire, agacée. Maintenant, c'est sûr que Laura n'ira pas. Aller parler à Samuel quand il est seul, c'est déjà difficile, mais entouré de ses chums qui disent sans filtre tout ce qui leur passe par la tête, c'est encore pire ! Il ne me reste qu'à faire une prière au saint des amoureux (Cupidon !) de faire en sorte que Samuel vienne lui-même parler à ma pauvre sœur éplorée.

J'allais offrir quelques mots d'encouragement à ma sœur, mais je me fais assaillir par un troupeau de filles énervées.

– Hé, Marie-Douce!

– Salut, Marie-Douce!

– Marie-Douce, tu connais Harry Stone pour de vrai?

– Marie-Douuuce! Wow, c'est beau chez vous!

– Marie-Douce! Est-ce que Harry Stone a couché chez vous?

– Hé! Marie! Peux-tu prendre une photo des Full Power pour moi? Est-ce qu'ils sont gentils? Il paraît qu'ils sont snobs, c'est vrai?

Ouille, ouille, je suis encerclée.

Je crois que j'aimerais me cacher sous une chaise...

Chapitre 19

Prise entre deux feux

Zut, il fallait que sa gang d'amis l'envahisse ! Je m'apprêtais à aller parler à Samuel, mes pieds allaient bouger, j'allais faire un premier pas dans sa direction, puis, *paf* ! il a été entouré de trois gars arrogants qui ne savent rien faire d'autre dans la vie que de lancer des cochonneries au *sling shot* et jouer au hockey. OK, j'exagère un peu. Et voilà ses cousins Évance et Fabrice qui s'ajoutent au lot. Ah non, c'est trop pour moi.

De toute façon, Samuel n'a même pas regardé dans ma direction depuis mon arrivée. C'est comme si je n'existais déjà plus. Je regrette un peu de l'avoir repoussé à cause de sa trop récente rupture avec Érica. En même temps, je me sens tout de même ambivalente. Tout se passe trop vite.

Je suis du genre à digérer lentement les changements. Je dois être ce qu'on appelle un paradoxe. Autant je VEUX sortir avec Samuel, autant j'hésite. J'ai envie de l'admirer de loin encore quelques jours. Savourer mon rêve... Tant qu'on s'observe de loin, je reste parfaite à ses yeux et lui aux miens. En même temps, j'ai peur de le perdre si j'attends trop longtemps.

Arrrrgh, c'est compliqué l'amour.

J'opte donc pour la prudence. Il faut au moins que je le salue durant la matinée. Faire acte de présence, ou quelque chose dans le genre. Comme le dit si bien Marie-Douce, si je laisse passer trop de temps, on risque de ne plus se parler. Nous avons notre cours de maths ensemble juste avant le lunch. J'essaierai au moins de lui dire « allô »…

De son côté, Marie-Douce est déjà assaillie de questions concernant Harry Stone. Même si elle voulait rester avec moi, c'est impossible. Elle s'est fait entraîner par Héloïse, Ève et Sabrina. Les trois filles, suivies de quelques autres, sont énervées d'avoir pu mettre leur grappin sur Marie-Douce. Elles parlent en sons aigus tout en gesticulant, et lui posent plusieurs questions à la fois au sujet de Full Power.

– Salut Laura…

Je me retourne, c'est Constance qui vient de toucher mon épaule. Elle est avec Samantha, comme d'habitude.

– Salut ! Hé, j'ai pas eu le temps de t'en parler quand on s'est vues samedi, mais t'es partie vite, vendredi ! dis-je à Constance. Tu racontes ?

Ouais, elle est partie du bal en entraînant Samuel avec elle. Pas très *cool*.

– Je ne me sentais pas bien…

Elle évite mon regard. Je me doute bien pourquoi : encore son attitude de fille jalouse. Elle cherche une raison pour ne pas l'admettre.

– Si tu t'étais levée pour danser comme tout le monde, t'aurais peut-être eu du fun ! fait Alexandrine qui vient de se faufiler parmi nous. Maudite jalouse, même pas capable de ne pas gâcher la soirée des autres ! Tssssss ! Il fallait que tu prives Samuel de la fin de sa soirée, hein !

Ooooh ! Alexandrine vient de dire tout haut ce que je pensais tout bas. Puis, comme si Constance n'existait déjà plus, Alex se retourne vers moi.

– Il est où ton mec ? me demande-t-elle.

Constance a à peine le temps d'ouvrir la bouche et d'émettre un « euh » hésitant qu'Alex la pousse en se plaçant devant moi.

– Hé, si Constance ne se sentait pas bien, normal qu'elle soit partie… dis-je sans entrain.

– Ouais ! fait Samantha en levant le menton.

Comment défendre quelqu'un qui ment ? Je n'y crois pas à son « je ne me sentais pas bien », et les petites interventions de Samantha dans la conversation me tombent sur les nerfs. Elle gobe tout ce que Constance dit, comme d'habitude. Alexandrine ne les regarde même pas et Constance semble sur le point de pleurer, comme c'est souvent le cas lorsqu'Alex est dans les parages.

— J'ai le droit de ne pas me sentir bien… bafouille Constance en croisant les bras sur sa poitrine.

— Ouais ! renchérit encore Samantha.

Elle-même agacée par les « ouais » de sa nièce, Constance lui assène un coup de coude.

— Hé, frappe-moi pas !

— T'es conne, c'est pour ça qu'elle te frappe, raille Alex.

— Alex ! dis-je, encore sans être très convaincante.

— Quoi !

— Arrête d'empirer la situation, dis-je en fronçant les sourcils.

— OK, OK !

Même si je suis d'accord avec Alex sur le fait que Constance a joué les trouble-fêtes, j'ai peur de me la mettre à dos à cause de Samuel. D'ailleurs, Alexandrine n'est pas dupe sur les raisons de mon intervention un peu molle, autant par mon ton que par l'expression de mon visage.

— C'est n'importe quoi, ton histoire de malaise au party, dit Alex à Constance.

— C'était pas de sa faute, OK! dis-je pour calmer le jeu.

— Ouais, c'est ça... me répond Alex en plissant les yeux pour m'indiquer de façon claire qu'elle ne croit pas à mon argumentation.

— T'as dansé avec Harry Stone, dis-je, en espérant qu'elle ne parle pas de Samuel devant Constance.

Pas une autre chicane... pleeeease...

— Oui et justement, comment ça se fait que vous étiez pas au show de Full Power, samedi soir? J'étais invitée dans sa loge, je pensais vous voir, Marie-Douce et toi! se plaint-elle.

— As-tu vu Lucien?

— Oui, j'ai vu Lucien! Il était pas parlable. Il arrêtait pas de vérifier ses messages sur son iPhone! s'exclame Alexandrine en soupirant. Je ne sais pas ce que Marie-Douce lui a fait, mais il est accro.

Accro au point de lui faire croire qu'elle avait la mauvaise adresse? C'est bizarre... peut-être espérait-il que Marie-Douce ne le croie pas et insiste? Lucien devrait savoir que ce n'est pas le genre de ma sœur. Il faudra tirer ça au clair. Non seulement pour le bonheur de Marie-Douce, mais aussi pour satisfaire ma curiosité.

Mais d'abord, il faut gérer la situation problématique entre Constance et Alexandrine. Du coin de l'œil, je vois Constance tirer le bras de Samantha pour s'éloigner. Malheureusement, cette dernière ne veut rien manquer de la conversation et Constance finit par prétexter devoir aller aux toilettes. Alexandrine jette un regard agacé vers Samantha.

— T'as rien d'autre à faire ? lui demande-t-elle.

— Hé, parle-lui pas comme ça !

— T'es vraiment vache, Alexandrine Dumais, l'accuse Samantha. Constance t'a rien fait !

Devant le visage crispé de Samantha, Alex roule les yeux et inspire un bon coup.

— Désolée ! Désoléééééee ! Tu peux rester si tu la fermes, ordonne-t-elle à Samantha. Ce qu'on a à se dire, c'est strictement confidentiel.

— Alex ! Arrête de lui parler comme ça !

— Elle me tape sur les nerfs, à rester là pour écouter ! J'aime pas les sangsues. Et elle ira tout raconter pour se montrer intéressante.

Évidemment, les joues de Samantha rougissent et sa lèvre inférieure se met à trembler. Comme si je n'avais pas déjà assez de problèmes…

— Et moi, j'aime pas que tu sois méchante, Alex, dis-je.

– Pourquoi t'es comme ça? On t'a rien fait!
ajoute Samantha d'une voix plaintive.

Alexandrine me fait un sourire figé avant de
se retourner vers Samantha dont le visage entier
semble en feu.

– Je m'excuse, OK? Je vais essayer que tu ne
me tapes pas sur les nerfs juste à respirer. Bon, où
en étions-nous? me demande-t-elle.

Lasse du sarcasme gratuit d'Alexandrine, je
m'approche de Samantha pour voir si elle va bien.

– Reste avec ta conne, dit-elle, les larmes aux
yeux. Je vais aller voir ce que Constance fait.

Samantha a tourné les talons pour se diriger vers
les toilettes. Je cours derrière elle pour l'arrêter,
laissant Alex à plusieurs mètres de distance.
J'ai plutôt envie de la laisser partir sans intervenir,
mais c'est la jumelle de Samuel, je dois donc tout
faire en mon pouvoir pour ne pas être en chicane
avec elle.

– Je te vois tantôt, OK? dis-je à Samantha en
posant une main sur son épaule. T'en fais pas avec
Alex, je vais lui parler.

– C'est ça, marmonne-t-elle en s'éloignant.

Zut, elle me fait sentir *cheap*. Je voudrais
assommer Alex d'avoir été méchante, mais ce
qu'elle me raconte est trop important!

— Aleeeex… Arrête de me mettre dans le trouble avec les Desjardins, dis-je entre mes dents.

Elle regarde le plafond en soupirant et en levant les mains dans un geste d'impatience.

— C'est plus fort que moi, ces deux-là sont tellement nulles !

— Si tu apprenais à les connaître, tu ne penserais pas ça.

— Je les connais depuis la garderie, ça n'a jamais changé.

Assez parlé d'elles, j'ai des choses importantes à élucider !

— Qu'est-ce que tu voulais dire par « Lucien est accro » ? Comment sais-tu qu'il attendait un message de Marie-Douce ? Ç'aurait pu être n'importe quoi d'autre.

— Voyons, Laura, tu devrais me connaître mieux que ça. Je lui ai demandé carrément, c't'affaire ! « Est-ce que tu attends un message de Marie-Douce ? » Il m'a fait « oui » de la tête, mais avait l'air mal à l'aise, je ne sais pas trop pourquoi… Il est difficile à comprendre, ce gars-là.

Oh mon Dieu, Alexandrine détient donc les informations clés dont j'ai besoin pour rassurer Marie-Douce !

– OK, raconte-moi tout, sans oublier un seul détail !

Alexandrine incline la tête pour me dévisager.

– J'ai pas grand-chose d'autre à te dire au sujet de Lucien, dit-elle en me lançant un regard moqueur. Il a passé son temps avec Corentin. C'est mignon, tu t'intéresses d'abord au sort de Marie-Douce et tu ne me demandes même pas ce qu'Érica est venue me dire tantôt. Fais pas cette tête-là, je sais que tu nous as vues discuter…

Non loin de nous, une bousculade éclate, coupant court à notre conversation. Zut !

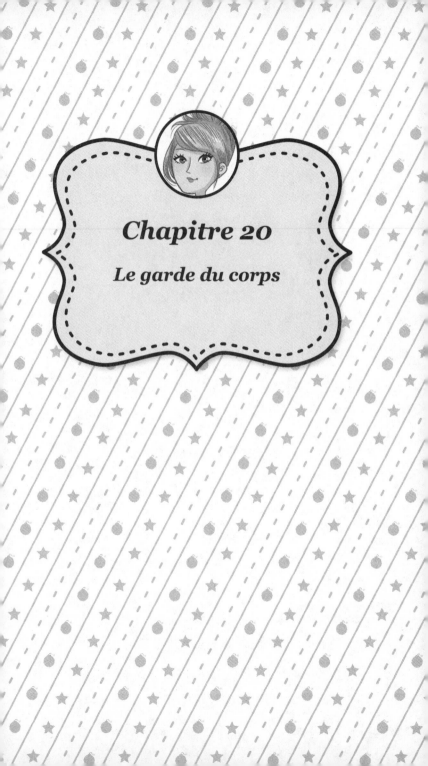

Chapitre 20

Le garde du corps

Héloïse, Sabrina et Ève m'assaillent de questions auxquelles je suis déjà lasse de répondre. « Es-tu amie avec Harry Stone ? Vas-tu passer à la télé ? Blablabla… » Très vite, d'autres filles et garçons s'ajoutent à leur attaque et je me retrouve cernée par une vingtaine d'élèves qui veulent tout savoir au sujet de mes liens avec les Full Power. Toutefois, lorsque Mathis Bourbonnais lève son iPod pour me filmer, il se fait pousser brusquement.

– Hé ! T'es malade ? s'écrie-t-il, étendu au sol.

Corentin est penché au-dessus de lui, les mains sur les hanches. Moi qui le pensais encore en train de jaser avec Xavier Masson. Il s'est déplacé vite !

– Si tu t'avises de la filmer et de mettre ça sur le web, je te fais ta fête !

Tous les yeux se portent vers Corentin qui joue les gardes du corps. À peine a-t-il relevé la tête qu'il se voit l'objet de toute l'attention. Je ne sais pas comment Corentin peut agir devant une foule. Je ne peux qu'imaginer Lucien. Lui, il prendrait la parole avec une aisance fascinante. Aussi, suis-je étonnée de voir mon ami s'adresser aux curieux ainsi :

– Elle ne veut pas que sa vie soit étalée sur internet. Pouvez-vous respecter ça ? Et laissez-la respirer ! Tout le monde ! Dégagez ! Y a rien à voir !

Harry Stone, c'est qu'un gars ordinaire qui chante! Calmez-vous!

Autour de Corentin, les uns regardent les autres et, peu à peu, les curieux se dispersent. La présence de monsieur Tranchemontagne qui nous fixe, les bras croisés sur sa poitrine, n'est certainement pas étrangère à ce calme soudain. D'un geste de tête, l'homme nous invite à le suivre. Ce que nous faisons malgré le timbre de la cloche.

Dans le bureau du directeur, nous prenons place sur les chaises qu'il nous désigne. Ce n'est pas ma première visite ici. Monsieur Tranchemontagne et moi avons déjà discuté de mon «problème» de photo virale. Aussi, l'homme se met à sourire pour nous rassurer: nous ne sommes pas dans le trouble.

— Corentin, tu ne peux pas bousculer les autres élèves. Faire respecter les règlements, c'est mon travail, pas le tien.

— Mais il allait filmer et…

Le directeur lève une main calme pour stopper Corentin.

— Je sais. Et à la suite des événements qui sont arrivés à Marie-Douce, nous avons décidé d'interdire les tablettes et les téléphones intelligents sur le terrain de l'école. Cependant, il semble que le règlement tel que formulé ne protégera pas Marie-Douce. Il faut le resserrer.

— Mais… monsieur Tranchemontagne, je ne veux pas être la source d'un règlement ! Les élèves vont me détester ! Les parents vont vous écrire pour dire qu'ils veulent pouvoir joindre leur enfant en tout temps. Vous n'avez pas fini d'en entendre parler !

— Tu préfères qu'ils te filment et te mettent sur YouTube ? me demande Corentin, énervé.

Monsieur Tranchemontagne sourit.

— Les élèves ne te détesteront pas, ils sont émerveillés par tout ce qui t'arrive. Ah ! Il y aura toujours des jaloux, mais s'il y a une chose que tu devras apprendre dans la vie, ma chère fille, c'est qu'on ne peut jamais plaire à tout le monde. Et pour les parents qui pourraient formuler des plaintes, je leur rappellerai que, dans leur temps, personne ne pouvait être joint en tout temps et qu'ils n'en sont pas morts. D'ailleurs, une petite pause d'électronique ne fera de mal à personne, ajoute-t-il avec un demi-sourire qui me donne l'impression qu'il est en réalité heureux d'avoir enfin un prétexte pour interdire les *iMachines* dans son établissement.

— Mais…

— Pas de mais ! J'ai discuté avec ton père. Je l'ai appelé personnellement durant la fin de semaine.

Nous travaillons ensemble à trouver les meilleures solutions possible pour que tu puisses avoir la paix. Cela dit, toi, mon grand garçon, dit-il en visant Corentin du regard, j'admire que tu défendes ton amie, mais tu ne dois plus toucher à quiconque, sans quoi je devrai appliquer le règlement et ce sera la suspension immédiate. Me suis-je bien fait comprendre ?

— Très bien, monsieur. J'accepterai ma suspension si quiconque s'en prend à elle.

Notre directeur secoue la tête en soupirant. Il se lève, nous incitant à faire de même.

— Vous êtes suffisamment en retard à vos cours. Allez ouste !

Je m'apprête à sortir du bureau, mais quelque chose me pousse à lancer un coup d'œil derrière moi. À ma grande surprise, monsieur Tranchemontagne gratifie Corentin d'un clin d'œil et lui tapote l'épaule. Mon petit doigt me dit que Corentin ne subira probablement pas les suspensions qu'il mériterait…

Chapitre 21

L'absent

Mon cours de mathématiques commence dans cinq minutes. J'ai le cœur pressé comme un citron. Je cherche Alexandrine partout : je dois savoir ce qu'elle voulait dire au sujet d'Érica! Par chance, je n'ai pas croisé cette dernière non plus. Peut-être qu'elle m'évite. Ce serait aussi bien ainsi.

Le plus inquiétant, dans la situation actuelle, c'est que je n'ai pas vu Samuel à la première pause de la matinée. Et là, la cloche va sonner dans moins de deux minutes, et il n'est pas encore apparu. Pourtant, il était là ce matin, je l'ai aperçu. J'espérais le voir au moins au cours des dernières secondes avant que le prof déverrouille la porte de la classe. J'aurai pu constater s'il fuit mon regard ou s'il a envie de me parler!

L'enseignante arrive. Juste à voir sa maladresse et sa face de fillette, c'est une stagiaire, j'en mettrais ma main au feu. D'après moi, nous aurons une période d'étude et le cours sera plus intense au retour de madame Courchesne.

Nous entrons dans la classe. Constance me suit et s'assoit à la même place qu'au dernier cours, me laissant à nouveau le pupitre que je convoitais tant pour pouvoir regarder Samuel. Sa place est encore libre, d'ailleurs, malgré la classe qui est presque complète. Où est-il?

Oh non! Maurice Gadbois vient de s'installer au pupitre de Samuel. C'est la catastrophe! La dernière chaise libre est à l'autre bout de la pièce, près des fenêtres. J'aurai besoin de jumelles pour observer Samuel d'aussi loin.

Les minutes passent, il n'apparaît toujours pas. Je commence à gigoter sur ma chaise. Finalement, je pose les yeux sur Constance qui évite mon regard. Je crois qu'elle est encore fâchée que j'aie accordé toute mon attention à Alexandrine ce matin sans l'avoir défendue davantage. Samantha et Constance ont dû jaser de ça une fois qu'elles se sont éloignées, c'est certain. Arfff... être prise entre Alexandrine Dumais et Constance, c'est l'enfer.

Je n'en peux plus. Même si elle boude, je dois lui demander où est son neveu.

— Pssst... sais-tu où est Samuel?

— Il s'est blessé dans le cours d'éducation physique, me dit-elle en soupirant.

Je suis surprise, mais ravie qu'elle me parle. Visiblement, elle n'a pas trop envie de me sourire. Je peux la comprendre.

— Est-ce qu'il est correct?

— Rien de mortel, me rassure-t-elle. Il s'est cogné la tête avec son ami William en jouant au basketball. Ils sont ensemble à l'infirmerie.

– Il doit avoir mal à la tête !

– Tu pourras jouer à l'infirmière, suggère Constance, sarcastique.

Oh ! Oh ! Si je me fie à son ton, elle a encore l'attaque d'Alex sur le cœur, c'est évident. Pour l'instant, l'important, c'est qu'elle m'adresse la parole.

– Alors, t'es pas trop fâchée pour ce matin ?

Constance pince les lèvres.

– Je sais que c'est pas ta faute si Alex est conne. Je suis juste déçue que tu lui parles encore, dit-elle.

– C'est pas si simple, dis-je, un peu triste.

– Ouais, c'est ça. Rien n'est jamais simple avec toi.

Elle a raison. Je dois changer de sujet, et vite.

– Alors, Samuel t'a pas dit qu'on s'était chicanés, lui et moi ?

C'est encore le brouhaha dans la classe et la stagiaire semble s'en ficher pas mal. Tant mieux, ça me donne le temps de jaser avec Constance.

– Non, la dernière chose que j'ai vue, c'est que vous marchiez main dans la main en amoureux.

– Il t'a pas semblé bizarre ou fâché quand il est revenu ?

Constance fronce les sourcils.

—Il est jamais revenu pour le brunch. Je le pensais avec toi. Et comme j'ai pas eu de nouvelles, j'étais certaine que vous étiez ensemble jusqu'au souper !

—Eh bien, non. C'est kapout…

Constance allait parler, mais madame Courchesne vient d'entrer dans la classe avec une pile de feuilles bleues. Ça sent l'examen surprise à plein nez.

—Salut les amis, vous pensiez vous en tirer ? ricane la prof de maths. *Pop Quiz !* Multiplication des polynômes ! Ça vous dit quelque chose ?

Plusieurs soupirs s'élèvent alors que nous ouvrons nos étuis à crayons. Soudain, je viens d'attraper le même mal de tête que Samuel.

Chapitre 22

Garçon ≠ Dieu

Au lunch, Laura et moi marchons dans le tunnel vers la cafétéria parmi la horde d'élèves. J'ai l'estomac noué et Laura a le teint presque vert. Pas difficile de deviner qu'elle ne mangera pas son sandwich au baloney.

— Zut, on a oublié d'attendre Constance et Samantha, dit Laura. Et où est Corentin ?

— Il est avec ses potes. Je pense qu'il a décidé de se faire des amis garçons.

Laura éclate de rire.

— Il fait bien. Les filles, c'est trop compliqué. Il est temps qu'il s'en rende compte. Le pauvre gars a besoin d'un *break* de nous, affirme-t-elle.

— Hé, les deux cocottes ! fait Alexandrine derrière nous. Attendez-moi, il faut que je vous parle pendant qu'il y a pas d'oreilles curieuses.

Laura émet un « Pffff, pauvres oreilles curieuses han, Alex ? » que je ne comprends pas trop. Alexandrine roule les yeux.

— Je me suis excusée ! Samantha Desjardins, je ne suis juste pas capable de la sentir. Mais je le fais pour toi, ajoute-t-elle avec un sourire exagéré. Est-ce qu'on peut parler des choses importantes, maintenant ? Donc, premièrement, Marie-Douce. Ton Lucien là, il...

Je freine si brusquement que plusieurs jeunes doivent me contourner de justesse pour ne pas entrer en collision avec moi. S'ensuivent quelques gros mots que j'ignore volontairement. J'ai d'autres soucis.

– Alex, je ne veux pas le savoir, dis-je d'une voix ferme.

– Mais…

– Non ! Arrête tout de suite. Si Lucien a quelque chose à me dire, il le fera lui-même. Pour l'instant… c'est compliqué, OK ?

– Oui, mais…

Elle insiste, j'ai envie de la laisser parler, mais en même temps, une peur incontrôlable me transperce le corps. On dirait que mon cœur va se sectionner en un million de petits morceaux.

– Alors, dis-moi ce que tu voulais me dire au sujet d'Érica, suggère Laura.

Alexandrine me regarde encore. Elle ne lâchera donc pas le morceau ? J'expire une bouffée d'air.

– Parle donc à Laura avant. Je vais essayer de reprendre mon souffle.

– T'es donc ben nerveuse, Marie-Douce. C'est juste un gars, t'sais. C'est pas un dieu.

Pour moi, c'en est un !

Est-ce que je viens vraiment de penser une chose pareille ? Voyons donc ! Je crois que mon attirance pour Lucien vient de prendre des proportions exagérées. Un *dieu* ! C'est trop fou ! OK, je me calme... Je respire...

– Donc, Laura, dit Alexandrine en portant son attention sur ma sœur. Érica est venue me voir pour me poser plein de questions, mais je l'ai revirée de bord ! En plus, elle voulait que je lance une rumeur à ton sujet !

Les joues de Laura ne prennent pas de temps à s'empourprer. Oh ! Oh ! Oooh ! Cette histoire-là ne sent pas bon du tout !

– Quelle sorte de rumeur ?

– Comme quoi t'aurais supplié Samuel de danser avec toi vendredi soir et qu'il t'aurait rejetée si vite que c'est pour ça que tu serais allée te cacher dans le placard !

– Mais, j'ai pas supplié Samuel ! Et comment est-ce qu'elle sait, pour le placard ? demande Laura d'une voix cassée.

Alexandrine entoure les épaules de ma sœur pour la serrer contre elle.

– Ma pauvre petite chérie, tout le monde est au courant de ta virée dans le placard des Cœur-de-Lion. Si tu savais toutes les versions de l'histoire...

Selon certains, tu t'es cachée là avec Corentin pour *frencher*. D'ailleurs, y a pas mal de potins qui circulent à votre sujet à tous les deux. Tu me le dirais si tu sortais avec Corentin ? C'est d'une importance capitale que tu me donnes ce genre d'info. J'aurai l'air de quoi si je spécule du gros n'importe quoi ? En tant qu'amie officielle, il faut se garder à jour mutuellement. D'ailleurs, j'attends toujours que tu me racontes la vraie histoire du placard. Corentin et Lucien ont refusé de m'en parler samedi soir, au *show* de Full Power.

– Hé, tant qu'à se promettre de tout se dire, est-ce que tu sors avec Harry Stone, coudonc ? demande Laura en changeant de sujet.

D'un coup de tête, Alexandrine fait bouger ses beaux cheveux caramel en riant aux éclats.

– Disons qu'il embrasse bien ! Mais non. Heille, verrais-tu ça ? Il m'a dit qu'il ne reviendrait pas au Québec avant au moins deux ans. En fait, c'est pas encore annoncé, mais il semblerait que Greg Havon quitte le groupe. Si j'ai bien compris, Lucien sera un vrai membre de Full Power, c'est fou ça, non ?

Tout de suite après avoir lâché la nouvelle, Alexandrine se couvre la bouche, les yeux ronds comme des billes. Deux ans… DEUX ANS ! Je pense que je vais vomir…

— Bravo Alex! lâche Laura, hors d'elle. Ç'aurait été le fun qu'elle l'apprenne autrement!

— Marie-Douce! me supplie Alexandrine alors que je viens de tourner les talons pour me frayer un chemin dans le sens opposé du «trafic» dans le tunnel, me heurtant à plusieurs élèves au passage.

Sans me retourner pour la regarder, je lève une main pour lui indiquer de ne pas me suivre. J'étais tellement naïve. Dans ma tête de linotte, je me disais que malgré les dires de Corentin, Lucien s'en allait chez lui, qu'il ferait quelques spectacles en première partie des Full Power et qu'il pourrait revenir me voir souvent. La vraie situation est maintenant claire, je ne peux plus me convaincre qu'il sera accessible. Une tournée de deux ans en tant que membre officiel du groupe, ce n'est pas ce que j'avais imaginé. Loin de là.

La seule place où je voudrais être présentement, c'est dans le placard à balais chez ma mère.

Chapitre 23

Brise des montagnes

J'aurais pu tuer Alexandrine. Voyons donc! Annoncer une nouvelle pareille par « erreur » ! C'est pas *cool*, pas *cool* du tout !

Ma sœur vient de s'enfuir. J'ai mal pour elle. Évidemment, je lui emboîte le pas sans me soucier d'Alex. Marie-Douce est rapide, je dois me presser pour éviter de la perdre de vue.

– Marie-Dooooouce ! Attends-moi !

Il y a trop de bruit, elle ne m'entend pas, et je vois sa tête blonde se perdre dans la foule. Celle que je vois très bien, par contre, c'est Érica St-Onge qui marche d'un pas lent, flanquée de Maurice Gadbois. Je ne peux pas croire que le pauvre Maurice l'aime encore, celle-là.

– Hé, Laura ! Félicitations ! Paraît que tu sors avec mon chum ?

Les mots sarcastiques d'Érica semblent atteindre Maurice qui ne dit rien malgré son air suppliant.

– As-tu entendu ce que je viens de dire ? insiste mon ex-amie.

– Je ne sors pas avec Samuel, dis-je simplement.

Je n'ai pas le goût de me défendre de quelque chose qui n'est même pas vrai. Je veux seulement retrouver Marie-Douce pour la consoler. Érica me fait perdre mon temps. J'essaie d'avancer, mais elle empoigne mon bras. Je me dégage d'un coup sec.

— Lâche-moi et t'avise pas de me toucher une autre fois, dis-je en la fixant d'un air mauvais.

Contre toute attente, l'expression d'Érica s'est radoucie comme par magie. Cette fille est si manipulatrice que c'en est étourdissant.

— Calme-toi. Je voulais juste te dire bonne chance avec Samuel. Je l'aimais pas de toute façon. Mais je sais que toi, t'en rêves la nuit.

Je prends une loooongue inspiration pour me calmer. Cette fille me rendra folle.

— Si tu savais que je l'aimais, alors pourquoi tu t'es jetée dessus?

— Je ne me suis pas jetée sur lui! C'est lui qui m'a demandé de sortir avec! Pour qui tu me prends?

— Arrête de mentir, Érica, c'est tannant!

— Elle ne ment pas, dit Maurice Gadbois qui jusqu'ici se taisait.

— Quoi?

— C'était l'idée de Samuel, dit-il sans s'émouvoir.

Je les dévisage l'un et l'autre. Maurice regarde ses pieds alors qu'Érica me gratifie d'un sourire glorieux. À bout de nerfs, j'éclate!

— Tout un ami! De sortir avec la fille sur laquelle tu tripes depuis la sixième année! Fais pas cette face-là, Maurice, tout le monde le sait. Arrête de faire le petit chien derrière Érica, aie un peu de colonne!

– Laura! se scandalise Érica. T'es donc ben méchante! Écoute-la pas, Maurice, elle dit n'importe quoi!

Elle a raison, je me sens nulle. Je n'aurais jamais dû dire tout ça à Maurice. Il ne le méritait pas. Je sens la chaleur monter à mes joues. Elles doivent être rouge tomate.

– Je dois rejoindre ma sœur. Bye!

Avec les larmes qui viennent d'inonder mes paupières, je dois fermer les yeux pour les empêcher de couler. Je fais quelques pas dans le noir, pour vite me heurter à un mur. Deux mains serrent mes épaules. Je reconnais ce parfum de Fleecy brise des montagnes. C'est soit Samuel, soit Samantha.

Chapitre 24

Deux ans

Deux ans!

DEUX ANS!

DEUX ANS!

Les mots reviennent à mes oreilles comme un écho sans fin. Dans deux ans, j'aurai seize ans, et lui dix-sept. Nous serons pratiquement des adultes. Il aura eu le temps d'avoir des dizaines de fréquentions féminines (je n'ose même pas dire le mot «blondes» ou «amoureuses» parce que ça fait trop mal!) alors que moi, j'aurai pâti comme une martyre à suivre ses péripéties sur les sites à potins. Je serai accro à mon iPhone et surveillerai tout ce qui sortira à son sujet. C'est si facile de tout savoir sur Harry Stone, ce sera pareil dans le cas de Lucien.

Je préférerais ne l'avoir jamais connu et n'être jamais allée à Paris. Je serais encore la Marie-Douce ordinaire que personne ne remarque et dont la vie est si simple.

Une nouvelle fois – peut-être la quinzième depuis le début de la journée et il n'est que midi! –, je sors mon iPhone de ma poche. Pas de nouveau message, bien sûr. D'un index qui fonctionne désormais sur le pilote automatique, j'ouvre mon Facebook pour regarder mon fil d'actualités. Je me suis créé un compte sans le dire à mes parents.

Hugo Bissonnette n'accepterait jamais, Miranda Cœur-de-Lion non plus! (Mais j'y pense, est-ce que ça veut dire que je me nomme maintenant Marie-Douce Cœur-de-lion-Bissonnette? La question se pose…)

Sur le réseau social, je me surnomme Petite Douce et j'ai mis une photo de Trucker sur mon profil. Impossible de me retrouver à moins que je donne moi-même mes informations. Je voulais voir le profil de Lucien, savoir s'il donne des indices sur ce qui se trame dans sa vie. Mais il ne partage que des articles sur le rugby et le soccer. Rien de bien instructif sur sa vie privée. Il ne parle même pas de Full Power. J'ai toutefois sauvegardé sa photo, bien sûr…

Puis, un article dans mon fil de nouvelles capte mon attention. *Strong is the new pretty*[1]. Des photos accompagnées d'un article concernant de jeunes filles habillées pour faire du sport, à l'expression décidée sur le visage, au sourire confiant. Les cheveux dans le vent, les jeunes filles n'ont pas peur de se salir et de ne porter aucun maquillage. Je suis saisie par les images. Je les trouve inspirantes.

---

1. Être forte est la nouvelle façon d'être belle.

– Marie-Douce?

Je sursaute en levant les yeux de mon iPhone. Dans le reflet du miroir, je vois que Samantha est à quelques mètres de moi. Nous sommes seules dans les toilettes des filles de la salle F.

– Est-ce que ça va? demande-t-elle.

– Oui, Samantha, ça va. Et toi?

– Oh, t'as un iPhone? Cache ça vite! Il paraît qu'ils ont décidé de changer le règlement et que toute personne avec un bidule ressemblant de près ou de loin à un téléphone intelligent se le fera confisquer! C'est rendu complètement débile, une vraie chasse aux sorcières! Moi, je cache mon iPod dans ma brassière, dit-elle en pointant sa poitrine. Monsieur Tranchemontagne n'ira jamais chercher là!

Je dévisage Samantha, hébétée. Monsieur Tranchemontagne nous a annoncé son intention de changer le règlement ce matin même, il n'y a pas trois heures! Je constate qu'il prend la situation très au sérieux. Et voilà que c'est maintenant moi qui suis coupable de jouer avec mon jouet électronique à l'école. Je n'avais pas pensé que ça m'affecterait aussi. Je suis déjà accro à mon iPhone, je l'aime d'amour! Qu'arrivera-t-il à mes récoltes de maïs magique si je ne peux pas m'en occuper pendant le jour ? Et comment pourrai-je suivre la vie de Lucien ?

— Hé ! T'es dans la lune ! T'as vraiment beaucoup changé depuis que t'es revenue de Paris, Marie-Douce. Tu ne me parles plus…

Je lève les yeux pour croiser ceux de Samantha. Elle a l'air triste. Je n'avais même pas réalisé que je lui manquais.

— Je ne fais pas exprès. C'est pas pour te faire de la peine, je t'assure…

— T'es devenue snob, depuis que t'as l'air d'une Barbie et que tout le monde t'admire. On ne parle que de toi, partout où je vais. Et toi, tu ne parles plus qu'à Laura et à Corentin.

— Une… Barbie ? Oh non ! C'est ça que les gens disent de moi ? Et dis pas que je suis snob, c'est pas vrai.

— Ben, c'est de ça que t'as l'air. Les élèves de l'école disent un paquet de choses à ton sujet, je ne pourrais même pas te les énumérer ! Et, oui, c'est vrai que t'es rendue snob ! C'était quand la dernière fois que tu m'as adressé la parole ?

La lèvre inférieure de Samantha tremble un peu, trahissant des émotions trop intenses que je suis incapable de gérer présentement. Je dois changer de sujet !

– Ça fait longtemps, t'as raison Samantha. Tu ne manges pas à la cafétéria?

– Non, j'ai mangé dans la salle F. Je me cache de la folle.

– La folle? De qui est-ce que tu parles?

– Alexandrine-la-folle-Dumais, dit Samantha en levant le menton. D'ailleurs, j'ai fait une plainte pour in-ti-mi-da-tion, m'annonce-t-elle en prononçant chaque syllabe.

– Oh, Samantha! Pourquoi? C'est sérieux, ce genre de plainte!

Samantha hausse les épaules en évitant de me regarder.

– Je sais. Je suis sérieuse, aussi. Alors, est-ce que tu sors avec le Français? Comment il s'appelle déjà? Julien?

– Lucien. Non… de toute façon, il s'en va.

– Il est beau, ton Lucien, en tout cas.

– Beau… ce n'est pas vraiment le mot pour décrire Lucien. Il est plutôt unique en son genre. Et c'est pas mon Lucien.

J'allais lui expliquer que c'était terminé avec lui pour de bon, mais mon iPhone se met à sonner. Numéro inconnu!

– Excuse-moi, Samantha, je dois vraiment prendre cet appel. Allô?

Un court silence au bout du fil me fait retenir mon souffle.

– Marie…

Samantha secoue la tête en roulant les yeux avant de pivoter sur elle-même et de sortir de la pièce. Je la suis du regard. Je sens bien qu'elle est déçue que j'aie répondu au téléphone. J'ai pourtant toutes les raisons du monde de ne pas ignorer cet appel. C'est Lucien, que dire de plus ?

Chapitre 25

La voix du chat congelé

En ouvrant les yeux, je découvre Samuel qui me dévisage. Ses mains sont toujours sur mes épaules et il fronce les sourcils.

– Laura, regarde où tu marches ! s'exclame-t-il d'un ton qui me donne froid dans le dos.

– Désolée ! Est-ce que je t'ai cogné la tête ? Hum, je veux dire, est-ce que je t'ai fait mal ? Comment va ta tête ?

– Ma tête va bien… Laura, est-ce que ça va ?

Je pince les lèvres, agacée de me sentir aussi confuse devant lui.

– Oui, oui, ça va… Ah et puis zut, non, ça va pas ! Je sais que tu m'as menti. C'était ton idée de sortir avec Érica !

– De quoi tu parles ? J'ai jamais dit que c'était pas mon idée ! Mais de toute façon, c'est con tout ça.

– Con dans quel sens ?

Il vient de lâcher mes épaules pour glisser ses mains dans ses poches. On dirait qu'il fuit mon regard.

– Con dans le sens que c'est trop compliqué, Laura. T'es une fille euh… difficile à suivre.

Les étudiants se sont dispersés, la plupart sont déjà à la cafétéria. Il ne reste qu'Érica et Maurice, à quelques mètres derrière moi, qui, je m'en doute bien, tendent l'oreille pour ne pas manquer un seul mot de ma conversation avec Samuel.

— J'ai besoin de temps, Samuel, c'est pas dur à comprendre, dis-je d'un ton que j'essaie de faire paraître calme.

— Qu'est-ce que vous faites là ? lance Samuel à Érica et à Maurice. Vous voyez bien qu'on parle ? Allez manger !

Puis, il pose son regard brun sur moi. Il semble agacé. Quelle malchance pour lui d'être tombé sur la fille la plus complexe au monde.

— As-tu faim ? me demande-t-il d'une voix radoucie.

Je secoue la tête pour dire non. Mon estomac est serré comme un étau même s'il crie famine.

— Viens, dit-il en prenant ma main. Sortons d'ici.

Je marche dans l'école main dans la main avec Samuel Desjardins ! Hé Hooo, tout le monde ! SAMUEL DESJARDINS me tient la MAIN ! *Calme-toi Laura…*

Nous traversons une salle F très tranquille parce que c'est l'heure du lunch et sortons par la porte vitrée qui donne sur le côté de l'école. C'est pratiquement désert, à part quelques petits couples qui se regardent dans le blanc des yeux en mangeant leurs sandwichs à petites bouchées. Leur vie semble si simple. Pourquoi est-ce qu'il faut toujours que je rende tout compliqué?

Où me traîne-t-il comme ça? Je croyais qu'on resterait près des grandes vitres qui donnent sur les casiers comme le font les autres …

— On va où?

— Pas loin. Je cherche un banc libre, dit-il.

— Ah…

Puis, même si nous ne sommes pas arrivés à destination, il s'arrête et se poste devant moi, saisissant mon autre main. Il a grandi durant l'été, c'est fou. Je dois lever les yeux pour le regarder. Mon cœur bat la chamade.

— T'es pas facile à aimer, Laura St-Amour…

Aimer… wow…

Stop! Il a dit « pas facile ». Ça veut dire que je suis détestable?

Je tente de détacher mes doigts des siens, mais il les resserre un peu, juste assez pour m'arrêter sans m'empêcher de me libérer si je le souhaite vraiment. Et non, je ne le souhaite pas vraiment. Loin de là. Ses mains sont douces, en plus.

— Hé… Arrête de tout analyser, OK?

— C'est comme me demander de cesser de respirer, dis-je en soupirant.

– Si je te dis que je veux sortir avec toi, pour de vrai et depuis longtemps, est-ce que ça va te calmer ? demande-t-il sans cesser de soutenir mon regard.

S'il pense me calmer en me donnant ce dont je RÊVE depuis des mois, il se trompe. J'ai envie de crier comme une idiote qui vient de voir passer son idole. Je veux danser sur les tables et faire des pirouettes. *Me calmer ? Tsssss !*

Pourtant, je me contente de hocher la tête. Je n'ai plus de voix ou du moins, elle résonnerait comme celle d'un chat congelé. Je fais aussi bien de me taire. Au sourire en coin qu'il me décoche, je crois qu'il a lu dans mon regard à quel point je suis émue.

– J'ai pas l'habitude de répéter ce que je dis, mais avec toi, je ne veux plus courir de risque, dit-il. Est-ce que t'as besoin de plus de temps pour de vrai ? Parce que si c'est le cas… j'ai déjà attendu deux ans, quelques heures de plus… c'est pas un drame.

– Non, je pense que c'est correct, là.

– T'es sûre ?

– Oui, je suis sûre.

Il se penche pour m'embrasser, on est à un minuscule centimètre de frôler nos lèvres, quand la voix de Samantha surgit de nulle part !

– Samuel! Samuuueeeeel!

Prenant une longue inspiration de frustration, il relève la tête pour se retourner vers sa sœur jumelle.

– Quoi?

– C'est Maurice, il ne va pas bien du tout! Il dit que «celle-là» l'a humilié devant Érica! s'exclame-t-elle en me pointant.

Les mains sur les hanches, Samuel secoue la tête, découragé.

– Lauraaaa… est-ce que c'est vrai? demande-t-il.

Zuuuuut!

– Nnn… ouiiii… J'ai peut-être dit quelques trucs pas très *cool*. Il me semble m'être excusée…

– Non, tu t'es pas excusée! Je lui ai demandé! renchérit Samantha.

Gna gna gna gna! J'ai envie de la secouer… Pourquoi Samantha est-elle toujours là pour brasser les problèmes?

Samuel passe ses doigts dans ses cheveux brusquement.

– J'étais énervée, j'ai pas voulu lui faire de peine. Érica me rend folle et…

– Même si, parfois, il donne l'impression d'être un petit dur à cuire, Maurice est un hypersensible qui n'a pas confiance en lui. Si tu le connaissais mieux, tu saurais qu'il ne faut pas le brusquer.

– Elle lui a dit d'arrêter de faire le chien de poche, m'accuse Samantha, il m'a tout raconté !

Gna gna gna ! Grrrr…

– J'ai pas dit ça comme ça…

Le frère et la sœur me regardent avec un air qui me fait rapetisser à deux centimètres de haut.

– Il est gentil et ne ferait pas de mal à une mouche, dit Samuel.

Je suis si découragée que j'en perds mon air. Mes lèvres bleuissent à vue d'œil, c'est sûr.

– OK ! J'ai compris, je vais m'excuser.

Retenant mon empressement, Samuel lève une main pour me décourager de le suivre.

– Non. T'en as assez fait. Je me doute du ton que t'as dû prendre pour lui parler, je te connais mieux que tu le penses. Je vais y aller. Mêle-toi-z'en pas, OK ?

Sur ce, Samuel me quitte d'un pas décidé pour se diriger vers le centre culturel, sa sœur sur les talons. Cette dernière me lance un regard rancunier. Ah ! C'est vrai, j'ai oublié de m'excuser de ne pas l'avoir mieux défendue contre Alexandrine ce matin.

Décidément, quand ça va mal…

– Samantha ! Je m'excuse pour ce matin !
Samantha !

Elle se retourne et me fait un doigt d'honneur.
Je pince les lèvres, pleine de regrets. Je pense que
je l'ai bien mérité.

Chapitre 26

Des adieux spectaculaires

Bruno nous attend à la sortie de l'école dans la Mercedes de Miranda. Il ne prend plus la peine de se tenir loin, tout le monde connaît désormais notre vie palpitante. Il déposera Laura chez mon père, mais moi, je dois aller chez les Cœur-de-Lion.

— Pourquoi tu ne marches pas avec Samuel ? demande Corentin à Laura. Tu ne l'as même pas salué. Ah non ! Ne me dis pas que t'es encore confuse ? C'est quoi ces conneries, Laura…

Ma sœur croise les bras sur son sac qu'elle serre contre sa poitrine comme si elle cherchait à se protéger de quelque chose.

— C'est compliqué… Pose pas de questions, OK ?

Corentin secoue la tête en roulant les yeux. Puis, il se concentre sur moi. Ah, il m'énerve quand il fait ça !

— Quoi ?

— Rien, dit-il. Rien du tout…

— On devrait lui trouver une blonde, me dit Laura. Il serait moins porté à se moquer de notre vie amoureuse.

Ma sœur n'a pas tort, mais de là à trouver une amoureuse à Corentin, il y a une marge.

— Laura, dis pas de conneries !

Pauvre Corentin, laissons-le se remettre de sa peine d'amour ! Et peut-être que je n'aimerais pas beaucoup le voir avec une autre fille…

– Qu'est-ce qui vous dit que j'ai pas déjà une copine ?

Oh, là, il a mon attention. Le pire, et je ne veux pas faire l'enfant gâtée, c'est que de l'entendre dire ça me fait un *boum* douloureux au cœur. *Voyons, Marie-Douce, Corentin n'est pas ta propriété, et tu ne l'aimes pas COMME ÇA.* Il peut bien avoir toutes les blondes de l'univers si ça lui chante ! *Mais, s'il a une copine, il ne s'occupera plus de mooooi et j'ai besoin de luiiiii…*

– Ah oui ? Qui donc ? demande Laura.

Elle semble agacée, elle aussi.

– J'ai pas dit que j'en avais une. J'ai seulement dit que je le pourrais. D'ailleurs, vous êtes tellement centrées sur vos petits nombrils que vous ne vous en seriez même pas rendu compte.

– Pas de notre faute si on a une vie ! dit Laura.

– Hé, j'ai une vie ! C'est pas de ma faute si, à vous deux, vous la remplissez à ras bord ! J'en ai un peu marre de faire la *baby-sitter* de filles en peine d'amour.

Laura et moi nous dévisageons et, d'un même souffle, nous éclatons de rire. À la pause de l'après-midi, elle semblait bien tourmentée, mais ne voulait pas en parler. Je lui ai donc raconté que Lucien part ce soir et que j'irai à l'aéroport pour lui dire au revoir. Tout cela pour dire que Corentin a bien raison de perdre patience. Parmi tout le désordre de nos histoires à dormir debout, il n'y a pas de place pour lui à part dans le rôle du gardien de nos malheurs.

– On est désolées, mon petit Coco d'amour, susurre Laura en tentant de lui pincer une joue. On va s'occuper de toi, dorénavant.

Corentin écarte son visage des doigts taquins de ma sœur et sourit à son tour.

– Pas nécessaire. Je peux très bien gérer ma vie sans avoir deux cinglées comme vous pour aggraver ma situation.

– T'as entendu ça, Marie-Douce ? Il nous traite de cinglées !

Derrière son volant, Bruno éclate d'un gros rire fort. C'est à croire qu'il est d'accord avec Corentin.

***

Le chemin vers l'aéroport est d'une tristesse à faire peur. Cette fois, Miranda m'accompagne. Corentin et Valentin sont restés au domaine. Ils ont décidé de me laisser faire mes adieux seule. Miranda est venue parce qu'elle souhaite jouer son rôle de « mère compréhensive », pour ne répéter que ses propres mots. De plus, elle veut saluer Jessica Varnel, sa nouvelle amie et confidente.

Bruno nous laisse à la zone des départs. Il ira garer la voiture et nous attendra en prenant un café.

Lorsque nous entrons dans l'édifice, nous constatons qu'une horde de filles et de journalistes se ruent vers un petit groupe. Comment n'y ai-je pas songé? Lucien voyage avec les Full Power, désormais. Même s'il n'est pas encore connu autant que les autres, il est leur compagnon de scène, leur fidèle ami… La prochaine fois que je le verrai, ce sera lui qui sera assailli comme l'est présentement Harry Stone, que je vois d'ailleurs faire son sourire figé en signant quelques autographes.

— On ne trouvera jamais Lucien là-dedans… Il n'a pas le temps de me voir, il est trop occupé, dis-je en reculant. Je lui écrirai pour le saluer, c'est plus simple!

Ma mère empoigne mon bras et me tire.

— Arrête de dire des niaiseries, dit-elle avec un accent québécois qu'elle n'utilise pas souvent. Lucien est important dans ta vie. Il ne faut pas qu'il t'oublie.

Miranda me rend perplexe. Veut-elle mon bonheur? Ou serait-ce plutôt ce désir de voir sa fille avoir une vie de jetsetteuse qui l'obsède depuis si longtemps?

– T'as tort, maman. Puisqu'il s'en va en tournée mondiale avec les Full Power pour deux longues années…

Ma mère change d'expression. Je lis la panique totale sur son visage.

– Pardon ? Deux ans ? Mais qu'est-ce que tu dis là, voyons !

– Elle a raison, fait la voix de Jessica Varnel. Mon fils sera une grande *star*, le contrat est signé. Il a été décidé à la dernière minute qu'il remplacera l'un des membres de Full Power.

– Ah oui ? fait Miranda. C'est quoi cette histoire ?

Jessica nous fait un sourire éclatant de fierté maternelle.

– Disons que l'autre garçon ne s'entend pas très bien avec les membres du groupe. Ils l'ont mis à la porte. Mon Lucien le remplacera et il sera mille fois meilleur.

– C'est fantastique, Jessica ! Il le mérite ! T'as entendu, Marie-Douce, ton amoureux sera une vraie vedette !

Malgré sa joie débordante, Jessica me lance un regard soudain triste.

– Lucien ne sera plus disponible pour toi, ma petite chérie. Mais vous pourrez correspondre… s'il lui reste un peu de temps…

– Est-ce qu'on peut décider nous-mêmes de ce qu'on va faire, maman ?

– Lucien ! s'exclame Miranda avant que j'aie pu ouvrir la bouche. J'ai eu vent de la bonne nouvelle ! Félicitations, mon grand !

Lucien gratifie ma mère de son sourire poli pour ensuite fixer son regard sur moi.

– Merci, Miranda. Est-ce que je peux vous voler votre fille quelques instants ?

– Bien sûr ! Allez, les jeunes ! Vous avez du temps ! Mais dépêchez-vous avant que les journalistes vous repèrent !

Nous marchons sans nous toucher vers un long banc où un vieil homme semble somnoler, sa valise à roulettes à ses pieds.

– Ici, nos mères ne nous voient plus, elles ne pourront pas nous espionner, même de loin. Et la grande nouvelle n'a pas encore été annoncée, les journalistes devraient me laisser tranquille jusqu'à demain, quand mon agent lâchera le morceau à la presse internationale.

Ouais, la presse internationale... Il dit ça comme s'il m'annonçait aller au dépanneur pour acheter du lait...

Perturbée par cette nouvelle, je m'assois à ses côtés avec l'espoir qu'il prenne ma main dans la sienne, ou quelque chose, n'importe quoi, mais il garde ses distances.

– Je suis désolé d'avoir fait semblant que tu n'avais pas la bonne adresse *mail*. Étant donné les circonstances, je me suis dit que c'était mieux comme ça. Je m'en veux. Tu vaux plus que ça... Tu ne méritais pas que je te mente. Et comme un con, je ne pouvais pas m'empêcher d'attendre que tu me répondes malgré tout. J'espérais que tu ne me croirais pas !

– En effet, personne ne mérite ça. Et pourquoi est-ce que je t'aurais pas cru ? Je pensais vraiment avoir la mauvaise adresse...

– Je sais... c'était idiot de ma part.

– En effet... dis-je doucement.

Il serre la mâchoire, je le vois aux muscles qui s'animent sur le côté de son visage.

– J'ai bien réfléchi, dit-il d'une voix nouée par l'émotion. Je ne veux pas te perdre, dans tout ça. Je sais d'avance ce qui m'attend pour avoir suivi le parcours d'Harry depuis déjà deux ans. Lui et son groupe vivent dans leurs valises, sont entourés de profs privés, ils ont beaucoup de privilèges et ...

Il allait en rajouter, mais je l'interromps.

— Alors, tu n'auras pas besoin de moi dans ta nouvelle vie paradisiaque, dis-je d'une voix plus calme que ce que je ressens.

Il émet un petit rire incertain.

— Ouais, c'est beau tout ça. Mais tu sais quoi, Marie ? Ils ne peuvent plus se balader dans la rue tranquillement. Leurs moindres activités sont épiées. Ce sera ça, ma vie, dorénavant.

Je perçois de la panique dans ses yeux. Pour une fois, Lucien semble vulnérable, moins sûr de lui. Il sera au sommet du monde. Malgré cela, il pose sur moi un regard apeuré. Je n'aurais jamais cru voir Lucien aussi fragile un jour.

— Oh, Lucien…

Avec hésitation, je lève une main pour toucher son visage. Il s'empresse de la saisir pour coller sa joue à ma paume.

— Je veux qu'on s'écrive et qu'on se skype tous les jours, dit-il. Promets-moi que tu seras là, que tu tiendras le coup. Toi et Tintin, vous êtes les seuls qui n'aurez rien à voir avec cette « vie-là ». J'ai besoin de savoir que t'es avec moi.

— Lucien…

Il soupire. Il n'est pas aveugle, il voit bien que je ne suis pas moi-même et il sait pourquoi.

– Ça va, t'as pas besoin de dire ce que tu penses, je le vois dans ton regard, Marie. J'ai toujours tout vu dans ces yeux-là. C'est d'ailleurs ce qui m'attire autant vers toi. Je ne veux pas te perdre.

– Deux ans… Une vie de *star* mondiale. Je ne peux pas être la fille qui attend.

Ma voix est un murmure et mon sourire doit avoir l'air faux. Il hoche la tête en prenant ma main.

– Ouais… Mais je ne serai pas à la guerre, tu pourras venir me voir.

– Tu m'enverras un jet privé ? dis-je en riant, sans cesser de fixer mes mains qui tortillent la bandoulière de mon sac avec une fébrilité anormale.

– Si c'est ce que tu veux. Marie-Douce, regarde-moi.

Je lève les yeux lentement et je vois dans son regard la même tristesse que celle que je ressens.

– Hé, tu devrais être en train de faire la fête, dis-je pour détendre l'atmosphère.

Avec un demi-sourire aux lèvres, il saisit mon visage et dépose un baiser léger sur ma bouche. Soudain, des dizaines de personnes marchent d'un même pas dans notre direction. On croirait une parade.

– Ils sont là ! C'est eux ! C'est la Cendrillon de Harry Stone et, si la dernière rumeur est vraie, c'est le nouveau membre des Full Power! Lucien laisse échapper un juron pas très joli et me tire par la main.

— Viens, on va les semer!

Chapitre 27

L'arbitre de malheur

La soirée sera interminable. J'ai hâte que Marie-Douce revienne. De toute façon, je ne pourrai pas fermer l'œil avant de lui avoir raconté mes déboires avec Samuel. J'ai d'ailleurs passé le reste de la journée à l'éviter. C'était facile, il a des millions de copains qui ne demandent qu'à l'accaparer. Ils ont passé les pauses entre les cours dehors, comme c'est leur habitude.

Mon iPod m'indique que j'ai plusieurs messages en attente. J'ai presque peur de ce que je vais y lire! Je m'arme de courage et je compose mon code d'accès.

AlexDrine
Salut! Je suis dans le trouble à cause de ton amie rousse! Elle a porté plainte pour intimidation à la direction! Peux-tu croire? Je capote et là, je t'écris en cachette, mon iPad est déjà confisqué jusqu'à mes 18 ans par sa faute!

Laura12
Je t'ai avertie de ne pas parler à Samantha comme tu le fais, aussi!

AlexDrine
Je l'ai même pas intimidée ! Et à la corpulence qu'elle a, elle est bien capable de se défendre. Elle ne fait pas pitié du tout !

Laura12
Ça n'a rien à voir avec la force physique ou le poids d'une personne, voyons ! Samantha est un peu naïve... et c'est vrai qu'elle est accaparante, mais il faut la prendre comme elle est.

AlexDrine
Pouah ! Je ne veux rien savoir d'elle, surtout maintenant qu'elle m'a dénoncée à monsieur Tranchegorge ! C'est sûr que tu vas prendre sa défense, tu sors avec son frère. J'aurais dû y penser que tu ne me comprendrais pas !

Laura12

Alex, il faut vraiment que tu commences à faire attention à ta façon de parler aux gens. Déjà que t'as dû t'excuser auprès de Constance. Pourquoi tu fais ça ? Elles ne sont pas méchantes avec toi !

AlexDrine

J'ai pas de patience avec les stupides.

Laura12

Demain matin, passe par-dessus ta colère et va t'excuser.

AlexDrine

En passant, t'as pas à parler. Érica a dit à tout le monde que t'as humilié Maurice Gadbois. Franchement, Laura ! C'est un des meilleurs amis de Samuel ! À quoi t'as pensé ? Tu vois, toi et moi, on est pareilles.

Laura12
Avoir eu le temps de réfléchir et si Érica m'avait pas rendue folle, j'aurais jamais dit ce que j'ai dit !

AlexDrine
Peut-être parce que t'es tellement centrée sur tes problèmes et ceux de Marie-Douce que tout le reste n'est pas important.

Je regarde mon iPod, hébétée. Corentin nous a fait la même remarque, tout à l'heure dans la voiture. Je vais commencer à croire que c'est vrai. Puis, un nouveau message arrive. Oh mon Dieu, est-ce que c'est Samuel ou Samantha ?

Samsam
Salut Laura

Laura12
Samantha ?

Samsam
Ben oui, qui d'autre ?

Je me dégonfle comme un ballon.

Laura12
J'étais juste pas certaine. Est-ce que ça va ?

Samsam
T'espérais que ce soit Samuel ? Il est au hockey.

Laura12
Non, je voulais justement te parler.

Samsam
Ouais, moi aussi. Je pense que tu vas regretter d'avoir fait de la peine à Maurice. J'te dis juste ça d'même...

Laura12
Pourquoi tu dis ça ?

Samsam
(c'est long... on dirait qu'elle efface plusieurs fois et recommence !)
C'est le meilleur ami de Samuel.

Laura12

Je ne savais pas qu'ils étaient amis à ce point-là. C'est pour ça qu'il avait l'air si fâché. Est-ce qu'il t'a dit quelque chose à ce sujet ?

Samsam

Il m'a avertie de ne pas te parler de lui. Alors je ne peux pas t'en parler.

Laura12

C'est pas ton patron, allez... !

Samsam

Il doit bien te connaître, il m'a dit que tu dirais ça.

Laura12
Et pour Alex...

Samsam
Alexandrine-la-folle-Dumais?

Laura12
Arrête de dire ça. Elle t'a pas vraiment intimidée, voyons. J'étais là. Elle t'a dit qu'elle voulait me parler et tu ne décollais pas. Il faut apprendre à savoir quand il faut être discret, t'sais! Mais je suis d'accord avec toi, elle aurait pu être plus délicate.

Samsam

Plus délicate ? Tu veux rire ? Elle m'a fait honte. Elle mérite une plainte. Elle a fait de la peine à Constance aussi. Il fallait que quelqu'un dise quelque chose. Et comme je ne peux pas compter sur toi... ben je me suis défendue comme je le pouvais.

Laura12

J'ai mes propres problèmes, je ne peux pas faire l'arbitre tout le temps ! La prochaine fois, défends-toi donc toi-même au lieu d'en faire une affaire d'État. T'es pas gênée, d'habitude !

Et *paf !*, le courant électrique saute, ma lampe se ferme et Hugo, au rez-de-chaussée, se plaint de manquer la fin de son match de football. Mon iPod est toujours ouvert, mais sans WiFi, la conversation est terminée. Zuuut ! Je pense que j'ai été trop raide avec Samantha et là, je ne peux pas corriger le tir ! Grrrrr !

Chapitre 28

Le code magique

Au retour de l'aéroport, Bruno m'a déposée chez mon père. J'avais besoin de voir Laura. Il est près de 22 h lorsque je monte finalement les marches du perron de la résidence du Vieux-Vaudreuil. La maison est plongée dans le noir. Une fois la porte d'entrée franchie, j'aperçois mon père et Nathalie, installés dans le salon, entourés de chandelles.

– Oh! Je vous dérange? dis-je en pointant les bougies.

C'est plutôt romantique, je trouve, de passer la soirée dans le noir, sous la lumière des flammes…

– Parle-moi z'en pas. Il y a une panne d'électricité depuis des heures.

– Bah, fait Nathalie en riant, il grogne parce qu'il a manqué la fin d'un match excitant. Moi, je trouve que le silence fait du bien…

Je m'avance dans la pièce pour me laisser tomber sur les coussins moelleux du fauteuil.

– Oui, ça fait du bien, le sileeeence. Enfin.

– Alors, Lucien est parti? demande Nathalie.

– Ouaip. Zoooooop, envolé dans les nuages! dis-je en mimant un oiseau de mes mains. Demain, il sera une *star*. C'est fou, hein? Est-ce que Laura est couchée?

– Oui, mais je doute qu'elle dorme. Elle t'attend. Bonne nuit ! dit mon père que j'embrasse sur la joue.

– Bonne nuit choupette, ajoute Nathalie en déposant un baiser sur mon front. Tu me raconteras vos adieux demain ! Ç'a dû être intense…

– Intense, c'est pas un mot assez fort !

Notre chambre est aussi noire que le fond d'un terrier. Même si je marche avec prudence, je me cogne le petit orteil sur le coin d'une commode.

– Ayoye ! Ouch ouch ouch !

– Fais attention, il fait noir, dit Laura.

– Merci de me le dire, j'avais pas remarqué ! Tant pis, je me brosserai les dents demain.

– Hé, niaise pas, prends ton iPhone pour t'éclairer, voyons. Y a une mini lampe de poche dessus. Ça fait partie des fonctions de base.

– Ooooh, ça en fait des choses, ces petites bêtes-là.

– Bienvenue dans la modernité. Allez, va te préparer pour te coucher, j'ai beaucoup de choses à te raconter. Ah, et j'ai besoin de ton iPhone au plus vite. Tiens, prends mon iPod pour t'éclairer. On échange !

– C'est quoi la différence ?

– T'as internet même s'il manque d'électricité.

– …

Devant mon silence, elle soupire.

– Laisse faire. Crois-moi sur parole, OK ? Je te ferai un cours d'iPhone 101 demain. Donne.

Armée de la lumière du iPod de Laura, je me dirige vers la salle de bains pour revenir quelques minutes plus tard, rafraîchie et changée. Couchée dans son lit, Laura pianote sur mon iPhone avec entrain.

– À qui tu parles ?

– À Samantha. *My God* que c'est compliqué avec elle !

– Elle a porté plainte contre Alexandrine, dis-je.

– Ah ! Elle te l'a dit ! Bon, assez parlé de Samantha Desjardins. Raconte-moi tout. Lulu est parti pour de vrai, là ?

– Appelle-le pas Lulu, on dirait que tu parles d'une fillette.

Durant de longues minutes, je passe en revue chaque détail de nos adieux et Laura m'écoute religieusement.

– *My God !* Il est donc ben romantique ! J'en reviens pas ! On aurait dit qu'il s'en va au cimetière !

– Il est conscient de la vie qui l'attend. Je pense qu'il est nerveux.

— Est-ce qu'il t'a dit qu'il t'AIME? demande-t-elle.

Je soupire à cette question.

— Non.

— Alors, il n'a pas dit le code magique pour que tu l'attendes comme il le souhaite. Hé, t'es pas une poupée qu'il peut ranger dans un placard pendant des mois pour le jour où monsieur aura le temps de te sortir du noir!

— Ouais… même si on aime ça, les placards, nous, hein?

— Je songeais justement à le rendre plus confortable. On pourrait y cacher du chocolat d'urgence…

— Excellente idée! dis-je en riant.

Nous rions quelques instants, puis Laura revient sur le départ de Lucien.

— Alors, vous avez fui les journalistes et vous vous êtes retrouvés où?

— C'est là que ça se complique. Ils nous ont repérés et on a été encerclés.

— *Oh, MY GOD!*

— Lucien a sifflé avec ses doigts super fort et Harry Stone est venu à notre rescousse! Pendant ce temps, même si c'était peine perdue puisque les journalistes m'avaient déjà identifiée, il me tenait contre lui et cachait mon visage avec sa veste pour éviter les photos.

— Ohhhh, c'est romantique ! Est-ce que Harry vous a aidés, finalement ?

— Oh oui ! Harry s'est donné à fond pour ma cause. Il a chanté sans musique et s'est mis à se dandiner. T'aurais dû voir les curieux qu'il a attirés !

— Wow… c'est la réalité qui dépasse la fiction !

— Exactement. Il a vite compris que Lucien voulait me protéger des journalistes. En plus, ça n'a pris que quelques minutes pour que les autres membres de Full Power l'accompagnent. Un petit spectacle qui a attiré une foule monstre ! On a donc pu s'échapper !

— Aaaargh ! Avoir su, je t'aurais accompagnée ! Dire que j'ai manqué ça pendant que j'étais dans le noir total ici. Qu'est-ce qui s'est passé après ?

— Curieuse…

— Hé ! T'es pas drôle ! Raconte !

— On a trouvé un coin de mur, près des toilettes. Il y avait un homme immense avec une montagne de valises sur son chariot. Sa femme parlait fort dans une langue que je n'ai pas reconnue. En allemand, peut-être. Bref, ces gens-là n'avaient aucune idée de qui nous étions. On s'est cachés entre le mur et ce gentil couple. Lucien s'est assis au sol, appuyé au mur et j'ai pu m'installer entre ses jambes, mon dos sur son torse. Il m'a entourée de ses bras et me parlait dans l'oreille.

— Oooooh! Il te disait quoi? Et dis pas que je suis curieuse!

— Je ne me souviens pas de tout, il inventait des histoires sur les gens qu'on voyait passer pour me faire rire.

Je ne raconte pas tout à ma sœur. J'omets les silences et les caresses de ses doigts dans mes cheveux. Toutes ces secondes où je retenais mon souffle, comme si ça allait aider à arrêter le temps. Nous étions dans une bulle, juste à nous, même si ça n'allait pas durer. Quelques minutes plus tard, il a fallu se lever et rejoindre Harry. Les Full Power étaient entourés de gardiens de sécurité qui tentaient de maîtriser la petite foule qu'ils avaient attirée. Lucien est parti après un baiser trop rapide…

— Et maintenant, il arrive quoi? Je veux dire, vas-tu le revoir?

— Laura, imagine… Deux ans à juste s'écrire ou à se voir sur un écran. Ça n'a pas de sens. Lucien fera partie de Full Power, le groupe le plus adoré des adolescentes sur la planète.

— Il sera aussi connu que Harry! s'exclame Laura. C'est débile!

— Ça veut aussi dire qu'il aura une vie d'artiste avec des hordes de fans en délire. Je suis sûre qu'il dit qu'il ne veut pas me perdre avec de bonnes intentions, mais pour être honnête, je serais surprise que ce soit possible. Et je ne suis pas certaine de vouloir vivre dans l'attente continuelle, même si ça me crève le cœur.

— Alors, tu vas faire quoi ? demande Laura.

— Tu ferais quoi, toi, à ma place ?

— Deux ans… wow… t'auras…

— Seize ans, oui. J'ai fait le calcul.

— Tu seras encore jeune et fraîche, rigole Laura en pouffant de rire.

— Arrête, j'ai le goût de pleurer.

Chapitre 29

Le kara-ballet

Nous passons les jours suivants dans une tranquillité inhabituelle. Marie-Douce semble bien aller malgré le fond de tristesse que je perçois dès que je pose les yeux sur elle. Je sais qu'elle se force pour sourire et faire comme si de rien n'était. Elle s'est un peu rapprochée de Samantha et de Constance, tout en restant polie avec Alexandrine. Mais Marie-Douce n'est vraiment chaleureuse qu'avec moi. Elle me fait parler, écoute mes moindres sautes d'humeur avec un intérêt qui, pour être honnête, m'inquiète un peu. Elle ne parle jamais de Lucien et passe beaucoup de temps avec Corentin à jouer à des jeux vidéo sur la Xbox.

Elle vit dans son gymnase, à s'inventer une chorégraphie hallucinante en combinant des mouvements de karaté et de ballet classique. J'ai passé des heures assise dans un coin de la salle à la regarder se mouvoir au son d'une vieille chanson de Michael Jackson. J'ai toujours aimé *Thriller* en plus. J'adore tout ce qui sort des années 80, elle a donc visé juste pour me plaire.

Durant ces jours qui passent sans grands remous pour Marie-Douce, ma vie est fidèle à ses habitudes : complexe et sans repos. D'un côté, j'ai Alexandrine qui bougonne à cause de l'accusation de Samantha, et de l'autre, Constance et Samantha qui me mettent de la pression pour m'empêcher de parler à Alexandrine. Chaque soir, je reçois une multitude de textos de la part des trois filles. La guerre est déclarée et je suis l'ambulancière qui essaie de soigner les blessures.

Est-ce que j'ai l'air d'une girouette ? On dirait bien, parce que je n'arrête pas de tourner de tous les côtés pour plaire à tout le monde.

— Laisse-les donc s'arranger avec leurs problèmes, me dit Corentin. On croirait que t'adores ça, être le point central. Allez, avoue…

— Non, c'est juste que j'ai assez fait de gaffes en étant trop rude avec mes amis. Là, j'essaie juste d'être FINE, bon.

— Comme tu veux ! dit-il en haussant les épaules.

C'est ça… je fais ce que je veux, mais je ne sais plus ce que je fais. Il a raison, je dois me mêler de mes affaires. Je vais donc sagement fermer mon iPod et simplement lire un bon roman. Ça fait longtemps que je n'ai pas lu pour le plaisir (ou pour fuir ma vie sociale !).

C'est vendredi soir. Je m'installe donc dans mon lit chez ma mère. Marie-Douce est dans le salon avec Corentin et Hugo, à jouer à un jeu sur la Xbox. Ils se chamaillent, se crient des bêtises et semblent bien s'amuser.

Demain, je vais aller chez mon père et j'essaierai peut-être de changer la première couche de bébé de ma vie entière. La petite Frédérique n'a qu'à bien se tenir ! Sa grande sœur va s'en occuper. J'espère vraiment ne pas tomber sur un caca.

J'essaie de ne pas trop penser à Samuel. J'ai fait semblant d'être très occupée toute la semaine. Je me suis même investie dans le journal de l'école pour ne pas traîner dans la salle F aux pauses et après le lunch. Je mange dans le local, porte fermée, avec Mathilde, Dariane et Clémentine Bougie qui ne parle toujours pas. Alexandrine est bien heureuse de ma présence, même si je ne suis aucunement productive. C'est ça, ou aller traîner dans le coin du gymnase et faire comme les filles qui soupirent contre la vitre qui offre une vue spectaculaire sur la salle d'entraînement où les garçons musclés lèvent des poids à répétition pour devenir encore plus musclés.

Samuel ne semble pas chercher à me voir. Il ne regarde même pas dans ma direction. Suis-je toujours sa blonde ? On dirait bien que non. Notre relation officielle aura duré quoi… quinze bonnes secondes ? On dirait que je ne suis pas douée pour les relations à long terme…

Je ne connais pas les règles des histoires de « sortage » avec les garçons. Pour casser avec quelqu'un, est-ce qu'il faut dire les mots « je casse » ? Ça prend peut-être un texto ? Ironiquement, je n'ai même pas l'adresse courriel de Samuel. Ni Constance, ni Samantha ne me l'ont proposée et je suis trop embarrassée pour la demander. Pourquoi ne cherche-t-il pas à me parler ? C'est dé-so-lant !

En ce samedi matin, je suis si motivée que dès 9h, je suis prête. J'ai même déjà mangé et brossé mes dents. J'ai hâte de voir Frédérique et mon père. Nos retrouvailles chargées d'émotions de la semaine dernière m'ont réconciliée avec sa longue absence. J'ai beaucoup réfléchi à son sujet. Sa vie n'est pas facile. Passer des mois dans des pays où la guerre fait rage, à toujours craindre pour sa vie, c'est difficile. Il a dû avoir peur, même s'il ne le montre pas.

— Tu crois que c'est correct, ce que je porte ? Je devrais peut-être mettre un chandail blanc, au cas où Frédérique régurgiterait sur moi !

Marie-Douce, qui me regarde faire des tours sur moi-même devant le miroir, est couchée sur le ventre sur son lit, son menton en appui dans ses paumes. Elle rit doucement.

— J'avoue que ta blouse noire est en danger avec un bébé de cet âge-là. Pourquoi tu te mets sur ton trente-six? Elle a juste cinq mois, elle ne verra pas la différence.

– Je ne sais pas! Je suis énervée! Et Martine, je ne la connais pas. Je suis encore dans la phase «faut se mettre belle» avec elle.

– Est-ce qu'elle a d'autres enfants? me demande Marie-Douce.

J'arrête tout ce que je fais et je la dévisage avec de grands yeux.

– *My God!* J'avais pas pensé à ça! Si elle en avait eu, ils auraient été là dimanche dernier, non?

– Pas s'ils étaient chez leur père. T'as pas posé de questions?

– Non…

– Est-ce que t'as visité la maison au complet? Si elle a d'autres enfants, ils ont forcément au moins une chambre à eux.

Je réfléchis et revisite dans mon esprit les différentes pièces que j'ai pu voir… Pas de chambre autre que celle de mon père et Martine et celle, toute rose, de Frédérique. Je ne suis pas descendue au sous-sol, par contre…

– J'en ai pas vu! Fiouuuu!

– Bon, tu vois, faut pas stresser…

– C'est toi qui me fais paniquer! J'y avais même pas pensé, moi!

Marie-Douce roule sur le côté, son iPhone en main. Ça me fait toujours un peu drôle de la voir avec un téléphone intelligent. D'ailleurs, elle l'a toujours pas loin, mais ne l'utilise jamais. Un peu comme une doudou…

— Franchement, je ne sais pas ce que tu fais avec un iPhone, tu t'en sers jamais !

Marie-Douce me fait un petit sourire sec et glisse l'objet dans sa poche.

— C'est un cadeau de Miranda et Valentin, j'imagine qu'un jour, ça servira…

Ouais, j'espère parce que je le prendrais bien, moi, ton IPHONE !

— Bon, je suis prête ! dis-je, au lieu de me plaindre. Tu vas faire quoi de ta journée ?

Marie-Douce, maintenant assise sur son lit, hausse les épaules.

— J'ai un cours avec madame Lessard tantôt. Après, je pense que je vais faire comme toi et lire un bon livre. Est-ce que tu dors chez ton père ? demande ma sœur.

— Nah ! C'est pas loin de chez Corentin, on se retrouve là après le souper ?

— *Yessss !*

La sonnette de la porte se fait entendre… C'est sûrement papa !

Chapitre 30

Sept mots

J'accompagne Laura à la porte. Son père est là, avec un sourire que je ne lui ai jamais vu. Je ne savais même pas que ce G.I. Joe avait des dents. Et blanches, à part de ça. Quel beau câlin il fait à Laura ! Wow, leur relation a vraiment évolué en peu de temps. Je suis contente pour elle. Je ne sais pas ce que je ferais, moi, sans mon père. Il est un peu strict, mais je l'adore et, grâce à lui, je me suis toujours sentie en sécurité. Je pense que ça manquait à Laura et je comprends pourquoi elle voulait tant qu'il revienne. J'aurais peut-être, moi aussi, essayé de mettre la pagaille pour séparer nos parents juste pour ravoir mon père.

Malheureusement, mon petit papa d'amour, aussi gentil soit-il, ne peut pas m'aider à me sentir en sécurité lorsqu'il s'agit de Lucien Varnel-Smith. Ce matin, c'était plus fort que moi, je me suis réveillée à 5 h pour vérifier les fils de la fameuse « presse internationale » sur mon iPhone. Comme l'Europe de l'Ouest a six heures d'avance sur nous, j'étais certaine que la nouvelle était sortie.

Je n'ai pas eu à chercher longtemps.

« À quelques jours du premier spectacle d'une longue tournée mondiale qui durera un peu plus de deux ans, le groupe Full Power annonce le départ de Greg Havon. Le badboy *notoire a dit à la presse avoir*

longuement mûri sa décision de quitter le groupe pour réorienter sa carrière vers un genre de musique plus rock alternatif. On chuchote en coulisse que Havon n'avait pas la discipline nécessaire pour être à la hauteur des autres membres et que la maison de production lui aurait lancé un ultimatum qu'il n'aurait pas respecté. Peu importent les raisons, le résultat est le même : des milliers de fans *pleurent le départ de leur idole ! Mais, coup de théâtre ! Un nouveau visage s'ajoute au* boys band *le plus en vue d'Europe. Son nom ? Lucien Varnel-Smith. Le jeune chanteur se démarque par sa voix et son talent de rappeur, mais surtout, par son charisme fou ! Qu'en penseront les* fans *? Cela reste à découvrir... »*

Un peu PLUS de deux ans ?

Il avait dit deux ans ! Pas davantage !

Je glisse mes doigts sur l'écran de mon téléphone pour agrandir la photo de Lucien. Son regard brun qui fixe l'objectif semble me dire : attends-moi...

Depuis son départ, il ne m'a écrit qu'une seule fois et c'était pour me dire que la folie s'était installée autour de lui et qu'il me réécrirait dès qu'il aurait une chance. C'était mardi. On est samedi et je n'ai toujours rien reçu, à part ce message de quelques mots.

Laura a tort. Ce n'est pas vrai que je n'utilise pas mon iPhone. En fait, rien ne peut être plus loin de la réalité. Je suis simplement habile pour me cacher lorsque je vais regarder avec frénésie si j'ai un nouveau message. J'ai même une routine : vérification de messages, jeux de fermes où je récolte mes légumes du bout de l'index, vérification de messages, Facebook sur la page de Full Power, Facebook sur la page de Lucien, vérification de messages, sites web à potins pour voir si on parle de Lucien. Et je recommence toutes les heures, parfois même toutes les demi-heures, si j'ai quelques instants à l'abri des regards. Je suis d'un ridicule à faire peur, surtout quand je me cache dans la salle de bains pour faire mon petit périple sur l'iPhone.

Le reste du temps, je souris lorsqu'on me parle. Je pose des questions pour me montrer intéressée et je fais mes corvées sans broncher. Avant toute cette histoire avec Lucien, je ne jouais jamais à la Xbox avec mon père, ça ne m'intéressait pas du tout. Un soir, mon père m'a tendu la manette de jeu en me disant « Allez, ça va te changer les idées. » Lorsque j'ai constaté à quel point ça lui faisait plaisir, j'ai décidé de continuer. J'ai même invité Corentin qui ne s'est pas fait prier longtemps pour accepter.

Dans ma vie, les jours passent et se ressemblent. La seule chose qui me fait réellement du bien, c'est mon petit projet de chorégraphie que j'appelle avec affection mon kara-ballet, un beau mélange entre le karaté et la danse classique. Laura est ma plus grande (ma seule !) *fan*, elle est adorable. Pour lui faire plaisir, j'ai choisi une chanson tout droit sortie des années 80.

Il est déjà presque 10 h, je dois me dépêcher, madame Lessard ne tolère pas les retards. Mon père et Nathalie sont partis faire des courses. Zut ! Vaudreuil-sur-le-Lac, c'est trop loin si je parcours la distance à pied. Même en courant, je n'arriverai jamais à temps. Je ne fais jamais ça, mais je me résous à appeler Bruno pour qu'il vienne à ma rescousse.

Je n'ai pas sitôt saisi mon iPhone que je constate que j'ai un message. J'ai un *message* !

> **Azrael66611**
> Salut Marie, je pense à toi, Lucien xxx

Mon cœur fait un bond ! Il pense à moi… Wow…

Puis, même pas vingt secondes plus tard, le vide m'envahit et mon cœur se serre. Sept petits mots écrits à la sauvette et je suis tout à l'envers. Le pire, c'est mon impuissance devant la situation.

Et maintenant, je fais quoi ? Ah oui, Bruno.

Chapitre 31

L'intrus !

La Jeep de papa est très *cool*. Il a ôté les portes et ouvert le toit, c'est un vrai bolide comme on en voit dans les films. Je me demande seulement comment il peut transporter un bébé là-dedans. Il n'y a même pas de siège prévu à cet effet sur la banquette arrière. Celle-ci est d'ailleurs encombrée de trop de choses pour accueillir un enfant !

— Et Frédérique, tu la mets où ?

Il éclate de rire en jetant un coup d'œil derrière nous.

— Martine ne veut pas que Fred voyage dans ce qu'elle appelle mon « jouet dispendieux ». On utilise sa Toyota quand on transporte la petite. T'en fais donc pas…

— J'étais pas inquiète, juste curieuse. On fait quoi, aujourd'hui ?

Nous arrivons au viaduc qui passe au-dessus de l'autoroute 40. Des voitures arrivent de partout au feu de circulation sur Saint-Charles. Papa est concentré sur la route, on dirait qu'il n'a pas compris ma question.

— Papa ?

— Oui ?

— On fait quoi, aujourd'hui ?

Encore une fois, il ne dit rien. *Coudonc !* C'est louche.

– Papa! Pourquoi tu ne réponds pas? C'est une question simple, pourtant.

– Nous avons de la visite. Euh… enfin… pas vraiment de la visite. Euh…

– De la visite qui n'est pas de la visite? Je ne comprends pas.

Nous roulons en silence de longues secondes avant qu'il finisse par me donner une réponse claire.

– J'ai recueilli un garçon, finit-il par m'annoncer.

Recueilli? Peut-il être plus flou, dans ses explications? Et quelle sorte de garçon? Je ne me suis toujours estimée heureuse de ne pas avoir de petit frère énervant. Déjà, le bébé, c'est un choc, pourquoi ajouter un autre enfant dans le décor? Un garçon, en plus… ça brise tout!

– Mais de quoi tu parles?

– Le fils d'un ami militaire qui est mort… là-bas. Une vieille promesse.

– Pourquoi tu m'en as pas parlé la semaine dernière?

– Il y avait Frédérique et on n'a pas voulu t'énerver. Une chose à la fois…

Je dévisage mon père qui se concentre sur la route. Il ne voit pas à quel point je suis bouleversée. C'est peut-être mieux comme ça. Mon père n'a jamais été très à l'aise avec les démonstrations d'émotions trop vives.

— Tant que tu ne me prends pas pour la gardienne officielle de ta marmaille, on n'aura pas trop de problèmes.

Je vois ça d'ici : le petit tannant qui fait les quatre cents coups et qui me tape sur les nerfs juste à respirer. J'espère qu'il ne restera pas trop longtemps…

J'ouvrirais bien la fenêtre pour prendre l'air, mais sans portes ni toit, le vent me frappe déjà au visage. Pourtant, j'ai besoin d'oxygène.

— Alors, il est là pour combien de temps ?

— C'est pas encore décidé. On arrive, sois patiente. Tu vas voir, il est gentil.

J'allais lui demander son nom, mais son cellulaire sonne. Mon père, qui n'est pas du genre à respecter les règles de base du code de la route, répond, appareil à l'oreille, comme s'il était dans son salon et se laisse entraîner dans une conversation intense.

Lorsqu'il applique les freins dans le stationnement de son bungalow blanc, papa est encore au téléphone. Ça veut dire que le mystère de l'orphelin demeure entier.

Devant la maison, trois skateboards sont laissés en plan. Je sourcille avec un pffff bien senti. L'intrus n'est pas sitôt arrivé qu'il a déjà invité ses petits copains.

— Es-tu prête à rencontrer Xavier? demande mon père qui a finalement lâché son iPhone.

Ainsi, l'orphelin s'appelle Xavier. Un prénom de tannant, si je me fie aux Xavier que j'ai connus dans le passé. Je me retourne vers lui en fronçant les sourcils.

— S'il est con, je m'en vais. Tu seras prévenu.

Mon père sourit.

— Je te laisse découvrir ça par toi-même.

Je prends une longue inspiration pour me calmer et me préparer à n'importe quelle éventualité. Je m'apprête à monter les marches de ciment quand la porte d'entrée s'ouvre grand. Devant moi, j'ai trois garçons que je connais déjà ! Peu importe lequel d'entre eux est l'orphelin, une chose est sûre, ce n'est pas un « petit » tannant, mais un grand.

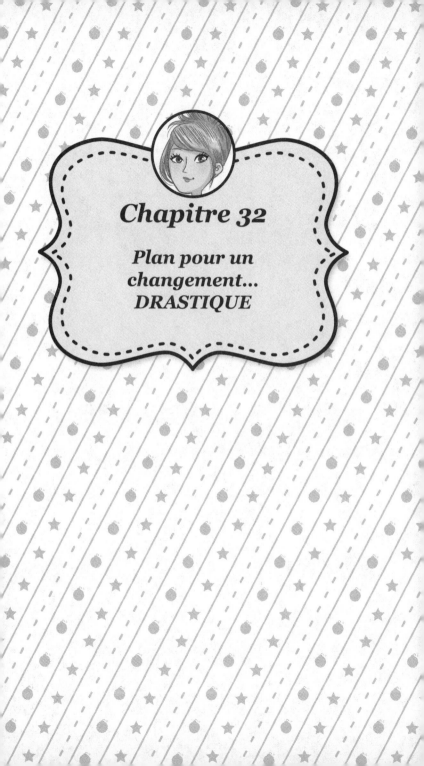

Chapitre 32

Plan pour un changement... DRASTIQUE

C'est la dernière semaine de Biche et de Georges chez les Cœur-de-Lion. Je n'ai pas trop hâte qu'ils s'en aillent; on dirait que c'est la fête tous les jours, depuis qu'ils sont les invités de Valentin. Biche a toujours été une soie, mais Georges, ça m'a pris un peu plus de temps avant de comprendre l'essence du personnage et de commencer à l'apprécier. Il s'extasie sur tout, se scandalise des petits riens qui font de notre existence une vie normale (par exemple, lorsque je remonte mes cheveux pour danser, ça l'énerve! Je défais son «œuvre», apparemment.) mais, à ma grande surprise, il s'inquiète beaucoup pour les autres. J'ai commencé à remarquer cette facette de sa personnalité lorsque, chaque soir, il me regarde dans les yeux pour me demander comment je vais. Même si je lui dis aller superbement bien, il a toujours ce petit «Mmmm, je n'en suis pas si sûr» à la bouche.

Au sortir de la douche après mon cours de ballet avec cette chère madame Lessard, je me dépêche de me rhabiller pour les rejoindre dans la salle à manger. Gisèle nous a encore préparé un dîner de roi. La longue table a pris des airs de buffet de grand hôtel. Dommage que Laura ne soit pas ici pour en profiter. Je me console en songeant que nous aurons des restes de table pour plusieurs jours. Pas de sandwich au baloney dans nos lunchs cette semaine, ça, c'est sûr.

— Où est Corentin ?

Biche avale une bouchée de pâté à la viande (elle a demandé à Gisèle de servir des plats typiquement québécois !) sur lequel je viens de lui ajouter une dose respectable de ketchup avant de répondre à ma question.

— Il est avec ses amis. Il semblait pressé de partir, tout à l'heure. Il manigance quelque chose, je le sens ! dit-elle.

— Quels amis ?

— Je ne sais pas trop, je les ai vus rapidement. Un petit au visage rond avec de drôles de cheveux frisés et un grand qui portait une casquette et un chandail un peu trop long à mon goût, soupire ma mère.

Le petit aux cheveux bizarres, ça doit être Maurice Gadbois, je n'en connais pas d'autres qui ressemblent à cette description. L'autre, par contre, je n'ai aucune idée qui c'est. Peut-être un de ces maniaques de planche à roulettes.

— Un jeune homme doit avoir des potes, dit Valentin. Mon fils a passé beaucoup trop de temps avec ces deux-là, dit-il en me pointant et en incluant

Laura dans son affirmation. Elles vont le transformer en femmelette.

– Hé ! C'est pas comme s'il était malheureux avec nous ! Corentin est très capable de s'affirmer ! dis-je pour protester. Pas de sa faute s'il est entouré de filles. On le traite bien !

Non, mais c'est vrai !

– Ça, j'en doute pas, ajoute Bruno avec un sourire.

Gisèle finit par s'asseoir à ses côtés. J'ai constaté dans les derniers jours que le chauffeur et la cuisinière commencent à se fréquenter en tant qu'amoureux, c'est nouveau et vraiment chouette. Ils sont mignons, ç'a l'air si simple… soupir…

– J'adore vos pâtés de viande, Gisèle, dit Biche, pour faire dériver la conversation vers un sujet plus léger.

– Georges, avant que vous partiez, j'aimerais beaucoup rafraîchir ma coupe de cheveux, dis-je avec un sourire.

– Marie-Douce qui demande des soins de beauté ? s'exclame Georges. Les poules ont-elles donc des dents ?

C'est l'éclat de rire général et j'y participe avec candeur. Ce que Georges ne sait pas, c'est qu'une idée germe depuis quelques jours dans mon esprit.

Pas certaine qu'il appréciera, ni s'il acceptera d'accomplir ma demande.

Après le dîner, je rejoins Biche au salon. Concentrée sur un magazine de mode comme s'il s'agissait d'un roman au suspens captivant, elle ne m'entend pas approcher. C'est peut-être pour ça qu'elle sursaute lorsque je m'effondre à ses côtés sur le sofa blanc.

— Marie-Douce ! Tu m'as fait une de ces peurs !

— Désolée, dis-je en riant. C'est bon, ta lecture ?

Sans fermer le magazine, elle le dépose sur ses cuisses.

— Oui, je me tiens à l'affût des tendances mode en ce qui concerne le maquillage. C'est mon métier, il faut toujours être à jour.

— Ah…

Biche me regarde en silence de longues secondes.

— T'as quelque chose en tête. Je le sais sans même que tu parles.

Je souris tristement.

— Ouais…

— C'est à propos de Lucien ?

Je secoue la tête pour dire non.

– Oui… un peu. Non, en fait, c'est moi. Je pense que j'ai besoin de changement. Son départ, ça fait trop mal. Je ne peux pas rester assise et ne rien faire. Deux ans, c'est une vie entière à mon âge. Je dois passer à autre chose.

Biche se retourne pour se replacer contre les coussins et me faire face. Elle ferme son magazine et le dépose sur la table vitrée.

– Je suis bien d'accord et je suis heureuse de voir que tu réfléchis à la meilleure façon de vivre ta vie au lieu de te morfondre.

– Oh, sois pas inquiète, je me morfonds en masse.

Elle rit doucement.

– Je n'en doute pas une seule seconde. Allez, dis-moi tout. Que veux-tu faire ?

– Est-ce que tu crois que la beauté, c'est juste dans le maquillage et la coiffure ?

Biche me sourit d'un air taquin.

– Ah non, alors, c'est aussi dans les souliers ! rigole-t-elle.

– Arrête, tu sais ce que je veux dire.

Biche incline la tête pour me regarder avec attention.

– Tu sais pourquoi le maquillage que je fais est toujours le plus naturel possible ? demande-t-elle.

— Pour ne pas avoir l'air d'une guédaille ?

Elle pouffe de rire.

— C'est quoi cette expression, non mais ? Vous en sortez de belles, vous, les Québécois ! Non, le maquillage est naturel pour faire ressortir la beauté de ton visage et non pour tenter de te transformer en quelque chose qui n'existe pas.

— Que penses-tu du look carrément naturel, sans rien du tout ?

Elle fronce les sourcils avec un sourire intrigué.

— Tu veux que Georges fasse une crise cardiaque ? demande-t-elle en riant. Sérieusement, même si Georges a blondi tes cheveux à la demande de Miranda, tu es déjà au naturel. Dans ton cas, de simples soins de la peau pour garder ton teint de pêche suffisent.

— Et que penses-tu des couleurs vives dans les cheveux ?

— Vives… comment ?

— Rouge, mauve, rose, bleu…

Biche me fait un petit sourire. Elle semble surprise par les couleurs que je nomme, mais heureuse que j'en parle. Elle reprend son magazine, tourne quelques pages et s'arrête sur la page recherchée.

– Les couleurs vives, si elles sont bien appliquées, peuvent être très jolies. Regarde ce rouge sur des cheveux très courts, et ce bleu sur les pointes de ce modèle aux cheveux longs. Les possibilités sont infinies.

– Oh wow !...

Évidemment, ces filles aux cheveux colorés sont des mannequins, donc toutes dotées d'une beauté extrême. Le résultat ne serait pas forcément le même sur moi. Malgré cela, ça donne envie de le faire.

– Tu me rends curieuse, Marie-Douce. Pourquoi cette question ?

– Oh... rien... rien...

Je m'apprête à me relever, mais elle retient ma main.

– Allez, explique-toi.

Les lèvres pincées, j'hésite. Comprendra-t-elle ce que je ressens ? Je me doute que Laura me dira que je me plains le ventre plein, que mes problèmes sont ce que les autres filles rêvent d'avoir. Biche, elle, est une adulte, elle a vu neiger. N'étant pas ma mère, elle peut peut-être m'aider à voir plus clair.

– J'aimais mieux ma vie avant tout le cirque entourant mon nouveau look. Je saisis mes cheveux blondis par la teinture savante de Georges et coiffés avec un doigté professionnel.

– Ça, cette tête de Barbie, c'est pas moi. J'ai l'impression de porter un déguisement. Avant, les gens qui me regardaient, me voyaient moi, la petite Marie-Douce sensible et gentille. Ils agissaient avec moi de façon naturelle et sans me traiter comme une petite princesse. Maintenant, partout où je vais, on me scrute avec trop d'intérêt. Mais c'est pas moi qu'on regarde, c'est « ça », dis-je en balayant de la main mes cheveux.

Biche hoche lentement la tête. Elle comprend.

– Et toute cette attention à propos de la photo avec Harry Stone, ç'a dû être désagréable pour toi, j'ai tort ?

– Je me suis cachée dans le placard à balais, dis-je, un peu gênée de l'admettre.

– Et tu penses que changer ton look te rendra ta vie d'avant ?

Je hausse les épaules. Je ne suis sûre de rien. Ni de l'effet d'un changement radical, ni de vouloir retrouver ma vie d'avant.

– Une nouvelle Marie-Douce qui ne serait ni la Barbie, ni celle d'avant, ça serait bien, je pense. Et ça me ferait du bien. J'ai besoin de quelque chose de drastique.

Biche me considère un long moment. Pensive, elle tapote sa lèvre inférieure de son index, les yeux dans sa revue de mode.

– Oui… je vois… Drastique, hein ? Tu veux me laisser parler à Georges ? Nous allons te concocter quelque chose. Donne-moi quelques jours, il sera difficile à convaincre et ta mère risque de me détester, mais ça vaut le coup.

Chapitre 33

Sur un poussin géant

Non… pas de petit orphelin au nez coulant. Si j'en crois mon père, le garçon mystère se trouve vraiment devant moi, alors j'ai une nouvelle sorte de problème. Le genre de problème auquel je ne m'attendais pas. Sur le perron se trouvent Maurice, Corentin et… Xavier Masson, un skater acrobatique qui fait son frais avec ses amis sur les pistes de planches à roulettes. Il est en secondaire 4, plus vieux que moi de deux ans. Papa doit donc faire référence à lui ! Prise de court et, pour être honnête, soudainement un tantinet nerveuse, je ravale ma salive et je porte d'abord mon attention sur mon vieil ami.

— Qu'est-ce que tu fais ici, Corentin ?

Il me fait un sourire éclatant. Il semble fier de son coup.

— Je n'aurais pas voulu manquer ça pour tout l'or du monde. Alors, quand Xavier m'a invité…

Mon père pose une main sur mon épaule.

— Alors, tu connais Xavier, Laura ? Xavier, voici ma fille, Laura.

— C'est lui, ton orphelin ? dis-je entre mes dents. Non, je ne le connais pas.

Mon mensonge ne passe pas inaperçu au regard amusé de Corentin.

— Je vous ai présentés, lundi dernier, dit ce dernier.

Xavier descend les marches pour me regarder de plus près. Avec un air de dédain, comme s'il cherchait à me reconnaître. Je l'ai souvent vu et il connaît très bien Samuel. Il ne m'a jamais adressé la parole.

— Aaaah, t'es la fille qui traîne souvent derrière la fameuse Marie-Douce !

Traîne derrière ?

Dire que j'allais lui offrir mes condoléances pour la mort de son père. *Pffff !*

— Hé ! Je ne traîne pas derrière ma sœur !

— Je te l'avais dit, Xavier, intervient Corentin. Elle est féroce.

Mais Xavier ne l'écoute pas. Toute son attention est sur moi.

— Ta sœur ? Wow… Tu l'appelles comme ça parce que vos parents sont ensemble ? demande Xavier en levant les sourcils. Est-ce que ça veut dire que moi, je suis ton nouveau frère ? Tu peux toujours rêver ! ajoute-t-il en riant. Vos inventions de petites filles, moi, j'y adhère pas.

— J'ai jamais dit que t'étais mon frère, c'est toi qui le dis. Marie-Douce et moi, c'est du solide. Toi, je ne te connais pas ! Et je ne veux pas te connaître non plus !

— Stop ! intervient mon père. Je pense qu'on vient de commencer sur une mauvaise note. Martine ! appelle-t-il.

— Martine est partie faire des commissions, dit Xavier.

— Avec Fred ?

Xavier secoue la tête.

— Elle te laisse la garder ?

Je demande ça comme si c'était impossible.

— Hé, je suis capable. Je gage que t'as jamais changé une couche de ta vie, ricane-t-il.

— Qu'est-ce que t'en sais ? J'ai déjà gardé des bébés, je sais changer des couches !

Corentin pouffe de rire.

— Ah ouais ? Quand ?

— Avant de te connaître. Ma vie n'a pas commencé quand Corentin Cœur-de-Lion est arrivé au Québec !

C'est bizarre, Maurice se tient à l'écart et ne dit rien. On dirait qu'il a changé depuis l'an dernier. Il était plutôt du genre petit baveux, et depuis cet été, il est davantage renfermé. Pfff… ça doit être la faute à Erica ! Elle a dû le manipuler et le faire se sentir poche. Lorsque je pose mon regard sur lui, il détourne les yeux.

— Maurice… je voulais justement te parler, dis-je doucement. On peut aller un peu plus loin ?

Quelques instants plus tard, alors que nous sommes plus proches du trottoir que de la maison, Maurice me lance un regard timide.

— Y a rien à dire, Laura, fais-en pas un drame. Je m'en suis remis cinq minutes après.

— Pour vrai ? C'est pas ce que j'ai cru comprendre. Selon Samantha, c'était le gros drame ! En tout cas, je m'excuse…

Il me dévisage. On dirait qu'il va pleurer. Samuel avait raison, Maurice est bien sensible…

— C'est correct, m'assure-t-il sans me regarder.

— Laura ? Tu viens ? m'interpelle Corentin sur le seuil de la porte.

— Ouiiiiiiiii ! Minute, je discute avec Maurice, là. Tu ne vois pas ?

Je secoue la tête, faisant mine d'être très agacée de son impatience pour vite retourner mon attention sur Maurice.

— On disait quoi ?

— Que je me suis remis de tes commentaires. De toute façon, t'étais dans les patates.

— Oui, c'est ça. J'étais énervée. Érica a le don de me faire grimper dans les rideaux. Euh… Comment ça, dans les patates ?

— Tu sais qu'Érica, ben… c'est ma cousine ?

Je dévisage Maurice comme s'il était descendu du ciel sur un poussin géant.

— Pardon ? C'est impossible, elle raconte à tout le monde que tu tripes sur elle…

Maurice se prend le front, découragé.

— Je me doutais qu'elle disait des choses dans mon dos, mais je ne savais pas quoi. Ma cousine a toujours besoin de se rendre intéressante et elle ment à cause de ça. Je suis souvent avec elle parce qu'elle me le demande. Elle est un peu… craintive.

— *Crain-quoi ?* Peureuse ? Érica St-Onge ? Euh non. Menteuse, profiteuse, manipulatrice, ça oui. Mais craintive, désolée, c'est pas dans son registre.

— Fais attention, Laura, tu parles tout de même de ma cousine !

— T'es plus gentil qu'elle. Elle te mérite pas, si tu veux mon avis.

— Je ne veux pas ton avis, Laura, mais on dirait que tu vas toujours me le donner quand même.

— Avec moi, c'est la grosse vérité ou rien.

— Alors, pourquoi tu ne dis pas à Samuel que tu veux le voir ? me demande-t-il.

— Est-ce qu'il t'a dit quelque chose à mon sujet ?

Arrrrfffff… pour rien au monde je ne voulais poser cette question qui me fait passer pour une belle idiote, mais c'est plus fort que moi.

Derrière nous, Corentin m'appelle encore.

— Lauraaa ! Qu'est-ce que vous foutez ?

— Ça va, on s'en vient !

Corentin secoue la tête d'impatience, les mains sur les hanches. Il est sur le perron, flanqué de Xavier, qui, avec ses bras croisés sur sa poitrine et son air bête, semble aussi nous attendre. Peut-être a-t-il plus hâte de me connaître qu'il ne l'a laissé paraître ? Pffff, je le déteste déjà. Qu'il attende !

— Samuel est fâché après moi à cause de toi, dis-je à Maurice. Il n'a pas aimé que je te fasse de la peine.

— Ah oui ?

— Oui. T'as de la chance d'avoir un ami aussi loyal.

— Je sais. Il ne me laissera jamais tomber. On est de vrais amis, même si ça ne paraît pas tout le temps.

Maurice est heureux que Samuel l'ait défendu et avec raison. Je le serais aussi, s'il me défendait un jour… D'ailleurs, le beau Samuel vient de m'impressionner sans le savoir. Sa loyauté envers Maurice est touchante.

Bravo Samuel, t'es un bon gars.

J'aimerais rester sur le trottoir pour rêvasser et faire comme si ma relation avec Samuel n'était pas perdue d'avance, mais pour l'instant, j'ai d'autres préoccupations : une nouvelle famille, incluant cet orphelin exécrable. C'est bien ma chance…

Chapitre 34

Sérum de retenue

Nous passons notre dimanche à ne rien faire. Pour moi, ça veut dire pas de cours avec madame Lessard et pas de messages de Lucien, malgré mon rituel assidu sur mon iPhone. Pour Laura, ça veut dire tourner en rond comme un lion en cage.

Nous sommes chez les Cœur-de-Lion, c'est ici que nous avons dormi. Hier, Laura a appris que Xavier Masson habite chez son père. À la mention de son nom, j'ai levé les sourcils.

— Mais oui, tu sais de qui il s'agit, me répète Corentin sans relâche. Je te l'ai présenté lundi dernier ! Voyons, Marie-Douce, tu ne peux pas avoir la mémoire aussi courte !

— Un grand nono… dit Laura, comme si ça allait m'aider à m'en rappeler.

— Beau mec, quand même, renchérit Corentin.

— Ark ! Non ! s'oppose Laura. C'est un skateux et il me déteste !

— On dit *skateurrr*, s'acharne Corentin. Et je ne sais pas pourquoi tu es si négative envers Xavier, alors que ton beau Samuel en est un aussi !

Ma sœur rougit comme un coquelicot.

— Ben… euh… parce que… Ah, je ne sais pas ! Samuel, c'est pas pareil !

J'éclate de rire. Laura est drôle lorsqu'elle bafouille.

— Ça m'aide pas à me souvenir de qui vous parlez, dis-je en m'esclaffant.

Je sais très bien de qui ils parlent. Xavier Masson, le grand gars avec qui Corentin se tient depuis le début des classes. Je fais semblant de ne pas savoir qui c'est. C'est amusant.

— T'sais, le grand tarla qui t'a serré la main.

— C'est quoi un tarla? demande Corentin.

— Un grand dadais, traduit Laura.

— Hé, c'est pas un grand dadais, c'est mon pote.

— Alors, t'es un tarla toi aussi, affirme Laura.

Ouille, ouille, ils vont encore se chamailler, je n'aurais pas dû les niaiser! En effet, Corentin se lève du sofa et Laura saute sur le pouf dans une tentative de fuite. Il passe à un cheveu de l'attraper, mais elle s'élance vers le sol, sur le tapis blanc. Il saisit une de ses chevilles et se met à chatouiller la plante de son pied. Laura hurle pour qu'il la lâche.

— Retire tes paroles! exige Corentin.

— Jamais! Aaaaaaaaah! Lâche-moi! Marie-Douce, fais-lui une de tes prises à la Bruce Lee! *Pleeeease!*

Je suis lasse de leurs chicanes, je n'ai pas envie de lever le petit doigt pour les séparer. Si je commence à faire la loi entre ces deux-là, je n'ai pas fini.

— Corentin, laisse-la, s'il te plaît, j'ai mal à la tête.

Comme par enchantement, Corentin laisse tomber la jambe de Laura et revient s'asseoir sur le sofa.

— Veux-tu des Tylenol ? demande-t-il, inquiet.

Laura roule les yeux.

— *Oh my God !* Corentin ! Peux-tu être encore plus téteux quand il s'agit de Marie-Douce ?

— T'es jalouse ? demande-t-il à ma sœur.

— Moi ? Jamais de la vie ! Mais si t'espères que le départ de Lucien te laisse le champ libre avec elle, tu te mets le doigt dans l'œil !

— Hé ! Arrêtez de parler comme si j'étais pas là, tous les deux !

Puis, je dévisage Laura, horrifiée.

— Laura, je ne peux pas croire que tu viens de dire une chose pareille !

Corentin, la mâchoire serrée et les oreilles rougies par la colère (je le connais, Laura vient de le piquer là où ça fait mal), se lève d'un bond et monte l'escalier à grandes enjambées.

— Bra-vo, dis-je à Laura en tapant lentement dans mes mains.

Ma sœur se laisse tomber sur le sofa en se frottant le visage.

– Ben quoi, c'est vrai ! Il faut bien que quelqu'un lui dise. Je suis une bonne amie en lui disant la pure vérité.

– Ah, pour ça, t'es une excellente amie. T'es juste trop franche, tu manques de tact.

– C'est quoi, du tact ? demande-t-elle.

– Tu vois, tu ne sais même pas c'est quoi. C'est de la délicatesse, du savoir-vivre…

– Je ne suis pas *tacteuse*, alors. Jamais été.

– Je pense que ça te servirait. Tu sais, ça se travaille. Georges est encore ici pour une semaine, il pourrait…

– NON ! Es-tu folle ? Je n'ai pas besoin de cours de politesse comme dans le *Journal d'une princesse* ! Une leçon d'éventail, tant qu'à y être ? Ou peut-être le salut royal… dit-elle en levant sa main pour imiter Elizabeth II en représentation dans son carrosse.

– Je pense sérieusement que ça ne te ferait pas de tort. T'aurais besoin de cours d'abstention de parler ! D'un sérum de retenue, tiens !

Je me lève en me frottant les tempes. Avec leurs niaiseries, mon mal de tête s'intensifie. Je dois aller voir comment va Corentin, je ne peux pas le laisser comme ça.

— Qu'est-ce que tu fais ?

— Je vais réparer tes bêtises. Reste-la.

— Ah non ! C'est de ma faute s'il est allé s'enfermer. C'est à moi d'aller voir comment il va.

— Non, sérieusement Laura, le vrai problème est entre lui et moi. T'as rien à voir là-dedans.

Je laisse Laura en plan et je monte à mon tour le grand escalier. La porte de la chambre de Corentin est verrouillée à double tour, évidemment.

— Corentin…

Je frappe doucement. Je ne m'attends pas à une réponse, mais j'essaie quand même.

— Hé, Corentin ! OUVRE CETTE PORTE OU JE VAIS LA DÉFONCER !

C'est Laura qui vient de parler. Décidément, elle m'énerve aujourd'hui !

— Laura, je t'ai dit de ne pas t'en mêler. Il a peut-être besoin d'être seul.

— Il aura tout son temps pour être seul ce soir, quand on va être chez Hugo. Je veux qu'il sorte *now* !

— Laisse-le respirer ! Tu ne peux pas forcer les gens à t'écouter quand tu viens juste de les blesser avec tes paroles trop franches. Voyons, Laura, un peu de respect pour les sentiments des autres !

Ma sœur me dévisage, ses yeux presque noirs ronds comme des trente sous.

– J'aimerais être aussi parfaite que toi, Marie-Douce, mais je ne suis pas comme toi. Vraiment désolée!

Sur ce, elle redescend l'escalier en courant.

Chapitre 35

Drama-colère

Sérieusement, est-ce qu'un jour ma vie finira par devenir simple? J'aimerais me lever un seul matin (rien qu'un!), m'étirer sous mes draps, sourire aux rayons du soleil qui réchauffent mon visage et passer une journée facile, sans problèmes, sans faire de gaffe à cause de mon impulsivité, sans surprise, sans rieeeen! Je pourrais savourer un chocolat chaud, manger des réglisses, prendre un long bain chaud, lire un bon livre, discuter des heures avec ma sœur, faire des listes amusantes des pour et des contre de n'importe quoi. Parler des garçons, de la vie en général…

Par exemple, ce matin, Marie-Douce et moi, au réveil, on s'est dit: aujourd'hui, on fait les brocolis sur le sofa. On relaxe, on ne bouge pas le gros orteil. Peut-être qu'on aurait dû faire les brocolis chez ma mère et Hugo. Corentin serait allé traîner avec ses « potes » au parc et rien de tout cela ne serait arrivé.

J'aime beaucoup Corentin, mais son adoration pour Marie-Douce doit cesser. Comment ne peut-il pas avoir enfin compris que ce n'est pas possible avec elle? Ne le lui a-t-elle pas fait comprendre plusieurs fois?

Je suis dans la verrière aux meubles de rotin blancs, c'est là que je me suis réfugiée pour me calmer. Je pensais qu'ici, je serais seule. Malheureusement, ma retraite solitaire n'est pas à l'abri des intrus. La porte française qui sépare la verrière de la salle à manger s'ouvre lentement et laisse passer une superbe fille aux cheveux caramel. Qu'est-ce qu'Alexandrine Dumais fait ici ?

— Salut Laura…

— Salut ! *My God*, pour une surprise…

— C'est ton chauffeur qui m'a laissée entrer. C'est fou, ta vie ! Wow, je ne peux pas croire que tu m'as caché tout ça jusqu'à la fête de Marie-Douce !

— C'est pas ma vie, c'est celle de Marie-Douce. Moi, je suis la fausse sœur par extension qui crèche ici parce qu'on la tolère. T'es venue voir qui ?

Elle s'assoit dans un fauteuil blanc et tapote de ses paumes le rotin.

— C'est la grande classe, cette verrière, s'extasie-t-elle. On se croirait dans une de ces séries télé américaines de Beverly Hills. Je suis venue te voir toi, voyons ! Tu m'inquiètes. J'ai téléphoné chez ta mère et elle m'a dit que je te trouverais ici. Donc… voilà, je suis là.

— Dommage que tu te sois donné tout ce mal pour me trouver. Je ne suis pas d'humeur à jaser.

Elle rit d'un air mystérieux.

— J'ai entendu votre conversation avec Corentin.

– Hé, t'écoutes aux portes, maintenant ?

Elle me fait des yeux exaspérés.

– J'étais dans le hall, vous hurliez.

Je laisse ma tête retomber sur le coussin derrière moi. Elle aussi me dira que j'ai tort !

– Je sais ce que tu vas dire, Alex. J'ai pas besoin de l'entendre.

Elle incline la tête d'un air curieux.

– Et que crois-tu que je vais dire ?

– J'ai été trop franche avec Corentin. J'ai manqué une bonne occasion de me taire. Je devrais penser aux sentiments des autres… blablabla…

– En fait, non. C'est pas du tout ce que j'allais dire.

Je cligne des paupières plusieurs fois et me redresse dans mon fauteuil.

– Alors, quoi ?

De ses deux mains, elle frotte distraitement les bras du fauteuil avant de s'y adosser.

– J'ai bien réfléchi à ta situation, Laura St-Amour. Je me disais : comment une fille intelligente comme elle peut être aussi souvent dans le trouble ? Il y avait quelque chose qui ne fonctionnait pas dans toutes tes histoires drama-colériques. Ça fait des jours que je te regarde aller. Samuel a tout fait pour te faire comprendre qu'il t'aime, maintenant il attend, et toi, tu ne fais rien. Pourquoi ? T'es « gênée » ?

– Euh… ouais… C'est pas entièrement ça…

– Arrête, j'y crois pas. Tu peux te mentir à toi-même, mais moi, je vois à travers toi. N'oublie pas que je suis une sorcière…

– M'as-tu fait une nouvelle poupée vaudou ? dis-je à la blague. Ça expliquerait toutes mes conneries si c'est toi qui t'amuses à manipuler ma poupée !

Elle rit aux éclats, puis redevient sérieuse.

– Non, t'es mon amie, maintenant. Je ne te ferai plus jamais de mal, quoi qu'il arrive. À moins, évidemment, que tu me trahisses un jour. Là, ce serait différent. Mais on s'écarte du sujet.

– Et c'est quoi le sujet ?

Elle s'assoit en tailleur et je remarque qu'elle est pieds nus. Avec ses jeans pré-usés et sa blouse rouge, son visage en cœur et ses cheveux couleur sucre à la crème qui ondulent sur ses épaules, elle a l'air du personnage principal d'une comédie romantique américaine.

– Corentin, dit-elle.

– Quoi, Corentin ?

Elle me fait un sourire louche en plissant les paupières.

– QUOI ?

Elle mime un cœur avec ses doigts.

– NON ! T'es folle ?

Alexandrine se met à utiliser ses doigts pour énumérer les faits.

– Tu sabotes ta relation avec Samuel depuis le début, tu provoques Corentin dès que t'as la moindre chance de le faire. Tu le critiques tout le temps, tu le surveilles comme un aigle et aujourd'hui, tu l'as rabroué parce qu'il était trop attentionné avec Marie-Douce. Fais le calcul !

– Essaies-tu d'insinuer que je suis jalouse de Marie-Douce ?

Ah ! C'est la meilleure !

– Hé, c'est pas moi qui l'ai dit.

– Non, arrête, Alex ! Je ne suis pas jalouse de ma sœur.

– Ta sœur ! Tu me fais rire avec ça. C'est pas ta sœur pantoute. Mais si ça te fait plaisir de jouer à ça, je ne rirai pas de toi. J'aurais aimé avoir une sœur, moi aussi. C'est plate, ma mère a fait vœu de célibat depuis que mon père est parti…

– Est-ce que t'essaies de me dire que j'aime Corentin, mais que je ne le sais pas moi-même ?

Elle hoche la tête en saisissant un caramel mou dans le bol de cristal qui trône sur la petite table.

Sans se presser, elle le déballe et le met dans sa bouche avant de mastiquer lentement. Cette fille deviendra comédienne, c'est certain. Elle a un sens théâtral indéniable.

— C'est pas moi qui l'ai dit, c'est toi, répète-t-elle avec un sourire satisfait.

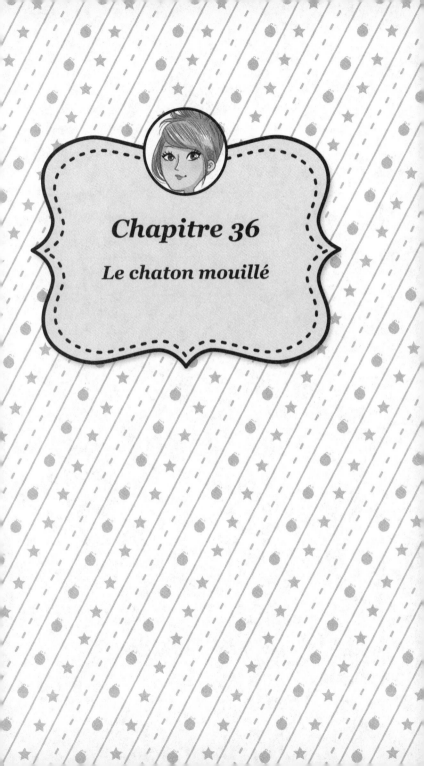

Chapitre 36

Le chaton mouillé

Mon iPhone vibre dans ma poche au moment où Corentin ouvre enfin sa porte. Mes mains tremblent, j'ai envie de regarder s'il s'agit de Lucien qui m'appelle, mais je dois me retenir. Ce n'est pas le bon moment. Les joues plaquées de rouge de Corentin révèlent à quel point il est troublé. Je dois m'occuper de lui avant toute chose.

La vibration se fait sentir une nouvelle fois contre ma hanche. J'en ai des sueurs froides, mais je tiens bon, tentant, sans vraiment y arriver, de me convaincre que ce n'est sûrement pas lui. Sauf que j'en doute. Les seules autres personnes qui connaissent mon numéro sont dans la maison. Il y a aussi mon père, mais je sais qu'il est en train de dévorer tranquillement ses crêpes à la crème fouettée dominicales. Pourquoi m'appellerait-il? C'est donc forcément Lucien. J'en suis sûre à 99 %.

– Je peux entrer?

Les paupières mi-closes et les lèvres serrées, Corentin est debout devant moi. Je passe sous son coude pour pénétrer dans la pièce interdite au commun des mortels. Visiblement, la femme de ménage n'a pas non plus accès à ce lieu sacré. Il y a des vêtements boudinés sur le plancher, de la poussière sur les meubles et quelques bols de céréales vides, sales, eux aussi. Une chambre qui sent le « gars ».

– Wow, tout un royaume, dis-je, pour détendre l'atmosphère.

Corentin ne me répond pas. Il se laisse tomber sur le dos dans son lit, pieds au plancher. Je l'imite, me couchant à quelques centimètres de lui sur la couette brune et orangée.

– Pas facile, notre vie, dis-je, pour ouvrir la conversation. J'ai hâte que ça se tasse.

Il tourne son visage vers moi. Son expression sérieuse me rend un peu nerveuse. On dirait que j'ai dit quelque chose de mal.

– Lucien t'a écrit ?

Je lui fais un air surpris. Quel drôle de moment pour me poser une question en lien avec Lucien !

– Ne me regarde pas comme ça. Je sais que t'es accro à ton iPhone, et c'est pas pour vérifier le cours de la bourse, ça c'est sûr.

Comment le sait-il ? Je suis une experte en camouflage, pourtant. Est-ce que Corentin me surveille ? Est-ce qu'il épie chacun de mes mouvements ?

– Comment tu le sais ?

– J'ai des yeux pour voir. T'en fais pas, je t'espionne pas, c'est juste évident.

Rassurée (un peu) du fait que Corentin m'assure ne pas me suivre partout, je soupire de découragement.

– Je pense que mon iPhone va me rendre folle. C'est comme une bête démoniaque, cette petite machine. Elle me tire à elle sans que je puisse me contrôler.

Il détourne son regard vers le plafond.

– Tu devrais peut-être t'en débarrasser.

– De qui ? Lucien ? C'est déjà fait, je t'assure !

– Non, espèce de grande nouille. De ton iPhone. C'est un boulet.

– Hé, j'ai des récoltes à entretenir.

– Le Village des Schtroumpfs ? demande-t-il.

– Entre autres.

– T'as un problème, je te jure.

– Plusieurs problèmes. Tu crois que je serais belle en brune ?

Il tourne la tête vers moi.

– Tu serais belle même si tu étais chauve.

– Arrête, tu dis n'importe quoi.

– Je sais, mais c'est tout de même vrai.

Un silence s'installe quelques secondes.

– Corentin ?

– Oui ?

– Je suis désolée de ce qu'a dit Laura.

– T'en fais pas avec elle…

– Je m'en fais pour toi…

Il se lève abruptement et me tend la main pour que je le suive hors de son lit.

– Cesse ça tout de suite, OK ? Et qu'on n'en parle plus jamais.

– Mais…

Il lève les deux mains pour m'arrêter.

– Pas de « mais ». Je suis fatigué de tout ça. J'aurais jamais dû en parler depuis le début ! Ç'a changé notre amitié et je m'en veux.

Puis, avec un petit sourire en coin, il change d'expression.

– De toute façon, j'ai quelqu'un dans ma mire. Quand j'aurai une « blonde » comme vous dites, tu vas peut-être arrêter de me regarder comme si j'étais un chaton mouillé.

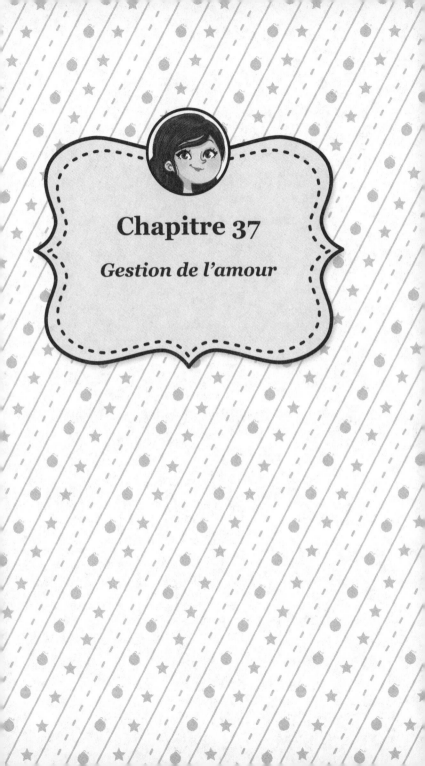

Chapitre 37

Gestion de l'amour

Alexandrine continue de me fixer alors que je me cale dans mon fauteuil. Dans l'espoir de me protéger de ses yeux rayons X, je tiens un coussin devant mon cœur. Pure précaution, cette fille est imprévisible, elle peut tout aussi bien avoir des pouvoirs magiques et transpercer les secrets de mon âme !

— Écoute, Laura, ça aurait du sens. Il est beau, intelligent, il te fait fâcher à toute heure et malgré tous vos problèmes, vous êtes toujours soudés par la hanche. Ma mère dit souvent que parfois, on a ce dont on rêve sous notre nez sans même s'en rendre compte.

Satisfaite de ses déductions, Alex se sert un nouveau caramel mou.

— Celui dont je rêve, c'est Samuel.

— Qui a dit qu'on ne pouvait pas être amoureuse de deux personnes à la fois ? demande-t-elle en haussant les sourcils.

— Tu dis n'importe quoi !

— Non… moi, ça m'arrive tout le temps. J'ai un amour de base et les autres selon mes humeurs.

Un amour de base ? Mais de quoi elle parle ?

— T'es jamais amoureuse ! dis-je, pour protester.

Elle semble étonnée de mon affirmation.

– C'est pas parce que je ne fais pas tout un plat de mes sentiments que j'en ai pas. Certains sont plus introvertis que d'autres.

Alors, là, je suis morte de rire.

– T'es pas du type introverti, Alex. De qui as-tu été amoureuse depuis les six derniers mois ?

– Harry Stone, évidemment. Ç'aura duré un gros vingt-quatre heures… et… à la base, celui qui me fait vraiment chavirer…

– C'est qui ?

La curiosité me ronge les nerfs. Moi qui pensais qu'Alexandrine était au-dessus de tout ça. Je ne sais pas pourquoi, mais j'ai toujours pensé qu'elle n'était pas un être humain normal, avec des sentiments normaux…

– Tu ne le connais sûrement pas, c'est un garçon de secondaire 4.

– Dis toujours…

– Xavier Masson.

Elle me sort ce nom comme on sort un marteau pour assommer sa victime. Sauf qu'elle ne sait pas à quel point cette révélation est loin de m'enchanter. Aussi, ne comprend-elle pas ma réaction.

– Ah noooon ! Alex ! N'importe qui, mais pas Xavier Masson ! *Pleeeease !*

– Pourquoi ? Tu le connais ?

Je m'avance sur le bout du coussin blanc, les coudes sur mes genoux, les mains appuyées sur mon visage.

– Ben voyons, Laura, insiste-t-elle. Qu'est-ce qu'il y a de si terrible ?

– Il habite chez mon père. Son père est mort à la guerre et papa l'a recueilli parce qu'il l'avait promis à son ami.

Surprise, elle ouvre la bouche et semble incapable de la refermer.

– T'es pas sérieuse ?

– Est-ce que j'ai l'air de niaiser ? Je l'ai appris hier.

Même si elle connaissait déjà quelques faits, je lui raconte tout. Que mon père est réapparu avec une femme prénommée Martine, une petite Frédérique de cinq mois et… un Xavier « surprise » dont je viens de connaître l'identité pas plus tard que la veille.

– Wow, murmure-t-elle tout bas. Ta vie, c'est la réalité qui dépasse la fiction.

– À qui le dis-tu !

Elle se laisse tomber sur le dossier coussiné de son fauteuil, les bras ballants de chaque côté des accoudoirs.

— Et pour rendre les choses encore plus compliquées, Xavier est devenu le meilleur « pote » de Corentin depuis le départ de Lucien. Avec moi, il a pas été très *cool*. Je ne vois vraiment pas ce que tu lui trouves, c'est un…

Alexandrine rit doucement.

— … *bad boy* ? Oui, je sais. Pourquoi tu penses que toutes les filles capotent dessus ?

— Alors, est-ce qu'il sait que tu t'intéresses à lui ?

— Bien sûr que non, il ne sait pas ! Je l'observe de loin depuis des mois. Je vais rôder près de la salle G juste pour l'entrevoir.

— Han ? Toi, tu fais ça ? Tu me jettes à terre, Alex. Je te pensais plus… euh… brave ! T'as fréquenté Harry Stone, une star mondiale, et Xavier Masson, un gars beeeen ordinaire, t'intimide à ce point-là ? C'est le monde à l'envers, j'en reviens pas.

Alexandrine fait un air rêveur en riant.

— Ah, le beau Harry ! C'était une surprise qu'il me demande à danser pour ensuite m'inviter à son méga *show* de Full Power. Mais tu sais quoi, Laura ? Malgré toute sa popularité et son argent, j'étais pas troublée par son regard, ni même sa présence. Il m'a fait rire, m'a distraite le temps qu'il a été là, mais je ne sais pas… il manquait quelque chose…

– La magie ?

Elle me lance un regard impressionné.

– Voilà ! T'as le mot exact. Xavier n'a qu'à poser les yeux sur moi, même accidentellement, et je fonds. C'est pas le cas avec Harry Stone. Loin de là. Il me regarde et j'éclate d'un rire nerveux, mais pas avec plein de papillons dans le ventre.

– Ben voilà. Pour moi, Samuel, c'est pareil. Il me fait sentir toute drôle. Corentin, c'est différent. Je pense qu'on est trop semblables, c'est peut-être pour ça qu'on est toujours ensemble, mais qu'on n'arrête pas de se chicaner.

Elle me fait son sourire complice.

– Alors, j'avais tort et je comprends mieux, dit-elle avec une sagesse qui me surprend. Si Samuel te fait le même effet que Xavier sur moi, je retire mes paroles.

Je contemple en silence mon amie un long moment. Alexandrine ne cesse de m'étonner. Elle est capable d'être si… sensée, parfois. Alors qu'à d'autres occasions, elle devient un monstre. Parce que côté franchise brutale, je ne suis qu'une piètre amatrice en comparaison d'Alexandrine-la-folle-Dumais, comme la surnomme Samantha.

— Alors, est-ce que ça veut dire que tu viendras me faire des visites-surprises quand je serai chez mon père ?

Elle secoue la tête avec énergie.

— Juste si tu m'invites. Je refuse qu'il se doute de quoi que ce soit. Si j'y vais, il faut trouver autre chose à faire que d'être dans son champ de vision !

— Je ne comprends pas. Ça te donne quoi de l'aimer si t'essaies pas d'avoir son attention ?

Alexandrine me lance un regard ahuri, comme si je descendais d'une autre planète.

— Il faut que l'idée de me courtiser vienne de lui, voyons ! J'ai lu un livre, tu vois, ça s'appelle *Les 35 règles*… et dans le livre, ça dit de ne jamais faire les premiers pas. Les garçons sont des chasseurs, ils veulent avoir du défi !

J'éclate de rire. Elle ne peut pas être sérieuse avec son mode d'emploi amoureux.

— C'est des conneries, tout ça ! dis-je, sans vraiment y croire moi-même.

Alex lève le menton comme elle le fait toujours pour argumenter quand quelque chose lui tient à cœur.

— C'est ma tante sorcière qui me l'a donné. Elle dit que la magie qui envoûte un garçon, ça se crée volontairement. Il faut juste suivre les règles.

– C'est de la sorcellerie, alors ?

Je suis confuse, mais soudainement TRÈS intéressée ! C'est plus fort que moi, les trucs faciles et efficaces, j'adore ça. Mon nouveau but n'est-il pas de me simplifier la vie ?

– Non, c'en est pas. C'est juste une façon de t'arranger pour que le garçon te perçoive comme étant la fille la plus précieuse du monde.

Wow… Je veux cette recette, il me la faut !

– Ha ! Ha ! Tu devrais te voir la face, Laura St-Amour. Je lis dans tes pupilles que tu veux mettre la main sur mon livre.

– Non… non, pas du tout, dis-je en essayant d'avoir l'air *cool*.

Il me faut ce bouquin, il me faut ce bouquin, il me faut ce bouquin…

Chapitre 38

Mortes ou vives

L'appel ayant fait vibrer mon iPhone, c'était celui de Lucien. Je l'ai manqué, c'est bien ma chance. Ma question est donc la suivante : je le rappelle ou pas ? Il n'a pas laissé de message. Je fais quoi ? Mon premier réflexe est de chercher Laura, mais je me ravise. Elle ne sait pas à quel point je me ronge les sangs avec les appels, messages et silences de Lucien. Je ne peux pas non plus me confier à Corentin à ce sujet, c'est hors de question pour des raisons évidentes.

Je descends le grand escalier, distraite par mes problèmes. J'entends des voix dans la verrière, celles de Laura et d'une autre fille.

La porte française qui sépare la verrière de la salle à manger étant déjà ouverte, je n'ai pas à frapper pour me manifester. J'espère que Laura n'est pas fâchée. J'ai été plutôt brutale avec elle.

– Salut…

– Ah ! Marie-Douce ! Comment ça va ?

Que fait Alexandrine Dumais ici ? À part pour la fête-surprise de vendredi soir, c'est la première fois que nous recevons une amie chez les Cœur-de-Lion. Ça fait bizarre.

– Ça va, et toi ?

Même si je viens de poser la question à Alexandrine, c'est Laura que je regarde. J'attends de voir si elle me sourira ou évitera mon regard. Elle ne fait ni l'un ni l'autre, elle me fixe sans sourire.

– Oui, euh… Oui, ça va.

Alexandrine nous dévisage l'une et l'autre : notre silence est éloquent. Nous avons des choses à nous dire seule à seule. Notre visiteuse n'est pas idiote, elle le voit tout de suite.

– Je vais aller aux toilettes, vous pourrez discuter en paix. Euh… c'est où, déjà ?

Corentin choisit ce moment pour apparaître, lui aussi.

– Viens, je vais te montrer, offre-t-il à Alexandrine.

Il lui emboîte le pas vers le couloir, se retourne et me fait un clin d'œil chargé de signification. Je lui renvoie un air surpris. Parlait-il d'Alexandrine, lorsqu'il a dit avoir quelqu'un dans sa mire ? On dirait bien que oui !

– Ça voulait dire quoi, le clin d'œil ? me questionne Laura. Pourquoi as-tu l'air traumatisée ?

Je m'assois dans le fauteuil qu'Alexandrine vient de quitter et passe mes doigts dans mes longues mèches blondes.

– Hé, dis-je, je suis désolée pour tantôt. J'ai été raide…

À mon grand soulagement, ma sœur m'offre un sourire de compréhension.

— Et moi, j'ai été fidèle à moi-même : trop impulsive. Je dois vraiment apprendre à contrôler mes émotions.

— Un peu, oui…

J'indique de la tête la direction du couloir où Corentin vient de guider Alexandrine.

— Je pense qu'il va essayer de sortir avec elle, dis-je, un brin inquiète.

Laura éclate de rire.

— Tu trouves ça drôle ?

— Quoi, t'es sérieuse ? Corentin ne peut pas courir après Alexandrine, s'exclame-t-elle. Il faut l'en empêcher !

Je lance un regard suspect à Laura. Serait-elle…

— Hé, regarde-moi pas comme ça ! Je ne suis pas jalouse !

— J'ai pas dit ça…

— Ton regard l'a dit en masse.

— Alors, pourquoi tu veux l'en empêcher ?

— Elle aime Xavier !

♥ *Et moi j'aime Lucien ! Je dois le rappeler !*
Il faut que je l'appelle… ♥

313

— Qui est Xavier ? dis-je.

— Coudonc, Marie-Douce, as-tu l'Alzheimer ? Xavier Massooonnnn, mon nouveau demi-frèèèère… Allôôôôô !

— Ah, lui ! Il est ben trop vieux pour elle, non ?

— Il a l'âge de Lucien !

— Oh, t'as raison.

Lucien
Soupiiiir.

— Alors, on fait quoi ? demande Laura.

Sérieusement, Lucien est-il trop vieux pour moi ?
Non… juste deux ans d'écart, c'est pas trop…

Oups, il faut que je sorte de la lune !

— À propos de quoi ?

Elle fronce les sourcils en me fixant avec inquiétude.

– Hé, t'es distraite. On parlait du fait qu'il faut empêcher Corentin de courir après Alexandrine !

C'est là que je perçois, dans mon champ de vision périphérique, la silhouette d'Alex qui vient de revenir de la salle de bains. Laura la voit aussi et plaque une main nerveuse sur sa bouche, ses yeux agrandis de honte.

Alexandrine a entendu sa dernière phrase, c'est certain. Oupssss ! ... Corentin aussi. Il est derrière notre amie, les bras croisés. À son air, on comprend qu'il veut notre peau, mortes ou vives.

Chapitre 39

L'amour, c'est sorcier

Zut !

Zut !

ZUT !

– Bra-vooo… murmure Marie-Douce.

– C'est de ta faute ! Je chuchote avec énergie. C'est toi qui es distraite et qui m'as fait répéter.

– On vous entend très bien, en passant ! dit Alexandrine, avec un petit sourire en coin.

Nous la considérons toutes les deux sans répondre. Que dire quand tu viens de faire une gaffe monumentale qui ne se récupère pas avec un mensonge ? Il n'y a pas trente-six solutions. On éclate de rire ! Du revers de la main, je claque la cuisse de ma sœur en m'esclaffant d'un rire forcé. Marie-Douce met une longue seconde à réagir, puis saisit ce que j'essaie de faire et se met à rire à gorge déployée avec moi.

– On vous a bien eus ! C'était une blaaaague ! déclare ma sœur, plus créative que moi.

Excellente répartie !

– Ben oui, on le savait que t'étais là, voyons ! Ha ! Ha ! Ha ! Corentin et toi, woooh tout un match, han ! Hiiiiii, je pense que vous feriez le couple de l'année !

Mais Corentin et Alex ne sont pas idiots. Ils nous dévisagent comme si nous étions des évadées d'asile. Ils n'ont pas tort, d'ailleurs.

À mon grand désespoir, Alexandrine se retourne vers Corentin qui rougit jusqu'aux oreilles.

— Est-ce que c'est vrai ? demande-t-elle.

Corentin me lance un regard désespéré. Comment expliquer la situation sans révéler ce qui se passe vraiment entre lui et Marie-Douce ? S'il décide de courtiser Alex, c'est juste pour se changer les idées ! Il ne faut pas qu'Alex l'apprenne, ni qu'elle croie qu'il est sérieux. De toute façon, elle aime Xavier. Elle va donc repousser Corentin, c'est sûr. Mais, d'un autre côté, elle m'a dit être capable d'aimer deux garçons en même temps. Arrrffff ! Il peut arriver n'importe quoi.

— Non, c'est pas vrai, dit-il. Ces deux cinglées s'imaginent que parce que je t'indique où sont les toilettes, je veux sortir avec toi.

— Ben oui, on est folles de même ! s'exclame ma sœur, bonne joueuse.

Alexandrine nous toise tous les trois alors que nous nous efforçons de ne pas pouffer de rire.

— En tout cas, Corentin, dit-elle, si jamais tu veux sortir avec moi un jour, sois direct et j'y penserai. Pas de tournage autour du pot, pas de petits mots de papier et pas de messages transmis par tes petites copines. Ça te va comme ça ? Faut que j'y aille, dit-elle en me regardant droit dans les yeux.

Puis, elle se retourne vers Corentin.

– Tu crois que Bruno pourrait me reconduire ?

Corentin cligne des paupières, surpris par le cran de notre amie.

– Oui, bien sûr. Je vais t'accompagner, offre-t-il.

Il nous lance un regard noir avant de suivre Alex dans le hall et nous nous esclaffons dès que la porte se referme derrière eux.

Maintenant seules toutes les deux dans la verrière et une fois notre hilarité calmée, nous nous taisons, chacune perdue dans ses pensées.

– Je dois appeler Samuel !

– Je dois appeler Lucien !

Nous avons parlé en même temps. Marie-Douce me sourit avec émotion.

– Je pense qu'il est temps de me déniaiser, dis-je à ma sœur.

– Je pense que t'as raison. Et moi, j'ai une décision à prendre, dit-elle.

– Ah oui ?

– Oui. Je dois décider si je m'accroche à cette histoire d'amour impossible ou si je prends les choses en mains en faisant d'énormes changements dans ma vie.

— Pourquoi faire des changements ?

Ma question la fait soupirer.

— L'un ne va pas sans l'autre. Si je décide de casser avec Lucien, j'aurai un besoin absolu de changer ma vie, sinon je pense que je vais déprimer solide.

Je la regarde quelques instants, pensive. Marie-Douce ne dit pas cela à la légère. Si elle en parle, c'est qu'elle a déjà quelque chose en tête.

— Ah oui ? Et tu vas faire quoi ?

— Je n'ai pas encore tout à fait décidé. Je t'en parlerai le moment venu.

— Houuuu... que de mystères, dis-je pour la taquiner. C'est mieux d'être grandiose, ton changement. Me faire languir comme ça, c'est pas très gentil !

— Je suis en réflexion, affirme-t-elle en jouant avec une de ses mèches blondes, dont elle plie et replie les pointes comme pour voir de quoi ça aurait l'air si sa coupe était plus courte.

Serait-elle en train de songer à se faire couper les cheveux ?

— Pas facile de laisser partir un garçon qui t'adore et qui va conquérir le monde...

— Comme dirait mon père, dans la vie, il n'y a rien de gratuit. Je sens que je vais me morfondre plus souvent qu'à mon tour. Je n'ai pas envie de vivre comme ça, tu comprends ?

— T'es trop sage, Marie-Douce Brisson-Bissonnette. Moi, j'aurais même pas songé à le quitter. Comme la majorité des filles, d'ailleurs…

— Je ne suis pas la majorité des filles, tu devrais le savoir, répond-elle en souriant.

— Oh, ça, je le sais. Le pire, c'est que je suis certaine que Lucien t'aime à cause de ça.

— Bah, tu sais, l'amour, c'est bien mystérieux. De toute façon, il m'a jamais dit « je t'aime », alors…

— Mais c'est tout comme !

— Ça ne change pas le fait que l'amour, c'est compliqué. En tout cas, moi j'y comprends rien.

— Je pense que tu comprends beaucoup mieux que bien des gens, reprends-je après un moment de réflexion. Hé, justement, j'ai besoin d'aide. Je vais appeler Samuel, je lui dis quoi ?

Marie-Douce se laisse tomber sur le coussin blanc qui sert de dossier au meuble de rotin. Un long moment, elle semble en grande réflexion, puis elle plante son regard bleu sur moi.

— Dis-lui que tu l'aimes.

Chapitre 40

Dire ou ne pas dire...

J'ai rappelé Lucien après avoir laissé Laura à son projet de faire de même avec Samuel. Évidemment, je suis tombée sur sa boîte vocale. À la tonalité, j'ai failli raccrocher. Je me suis ravisée à la dernière seconde.

– Salut Lucien, c'est moi… euh… Marie. J'ai vu que tu m'avais appelée tout à l'heure… euh… j'étais occupée. Voilà, je te laisse un message, bonne soirée, euh, je veux dire, bonne nuit, il doit être tard, là où tu es. Peu importe, euh… à plus tard. Je t'aime. Bye.

J'ai coupé vite fait avant de lancer le téléphone sur mon lit, comme s'il me brûlait les doigts. Ai-je dit « je t'aime » ? Je ne suis pas certaine. Je l'ai entendu dans ma tête, comme une pensée folle qui ne traverserait jamais le seuil de mes lèvres. Je pense que je l'ai dit. Ai-je vraiment fait ça ? Non. Je pense que c'était juste dans mon imagination. Jamais je n'aurais osé le dire tant que lui ne l'a pas fait. Impossible.

Ça doit être parce que j'ai suggéré à Laura de dire à Samuel qu'elle l'aime. Voilà que je viens de me faire prendre à mon propre conseil !

Mes mains tremblent, j'ai un besoin urgent de me changer les idées. N'importe quoi, pourvu qu'un projet m'occupe l'esprit ! Une envie irrésistible me prend d'aller me cacher dans le placard à balais.

Après la gaffe que je viens peut-être de faire, j'ai besoin d'un petit coin noir pour me morfondre.

Lorsque j'ouvre la porte du fameux placard, une idée me vient à l'esprit. Nous n'étions pas sérieuses lorsque nous discutions de faire de ce placard un endroit d'urgence, mais le concept est tout de même excellent. Et puis, qu'ai-je d'autre à faire à part céder à la panique totale ?

Sans réfléchir plus longtemps, je descends les marches du grand escalier quatre à quatre pour arriver en trombe dans la cuisine. Vêtue de son tablier fleuri, Gisèle est affairée à couper des oignons et Biche est assise sur un banc en train de peler des patates. Elles discutent en riant de je ne sais quel sujet d'actualité. Peu importe, j'ai un projet, je n'ai pas le temps de me mêler à leur conversation.

— Est-ce qu'on a des bonbons, chips, chocolat… ?

Les deux femmes se taisent et me dévisagent avec surprise.

— Pourquoi ? Tu fais un party ?

— Pour… euh… un projet.

Elles s'échangent un regard entendu.

— Un projet avec des cochonneries ? demande Gisèle.

— C'est une surprise pour Laura.

– Regarde dans le troisième tiroir à gauche du four, il y a les restants de votre bal.

Le tiroir qu'elle me désigne est immense et rempli à ras bord de sucreries de toutes sortes. Gisèle me tend un grand bol de plastique que je remplis de chocolat, de réglisses rouges et de mini-sacs de croustilles. On en aura bien pour un mois dans notre « caverne d'urgence ». Une fois munie de ma panoplie de gâteries, je cherche les bouteilles réutilisables pour l'eau. Après nous être gavées, nous aurons soif. Il est impératif d'avoir de l'eau à portée de la main, qu'elle soit tiède ou non. Gisèle finit par me faire expliquer ce que je mijote, ce qui la motive à m'aider.

– Je vais demander à Bruno de te monter le mini-frigo dont monsieur Cœur-de-Lion ne se sert jamais ! s'enthousiasme-t-elle.

– Mais je ne voudrais pas que Bruno se fasse chicaner !

Elle bat l'air de sa main.

– T'en fais pas ! Le frigo est dans le garage, il n'est même pas branché. Ah ! mais j'y pense. Nous avons aussi des coussins dans une des chambres d'amis que personne n'utilise. On pourra vous en mettre pour être à l'aise.

— Il faudrait aussi ôter les balais et les détergents, dis-je.

— Je vais t'aider, déclare Biche qui se laisse aussi prendre au jeu. Gisèle, où pouvons-nous déménager les articles ménagers ?

Deux heures plus tard, le placard à balais est devenu notre cachette officielle en cas de panique ou de gaffe majeure. Comme c'est mon cas présentement. Munie de ma lampe de poche, je suis blottie dans un petit paradis. Tant que je suis ici, je me sens inatteignable.

Au moment où je me pense « inatteignable », mon iPhone sonne. C'est ironique ! À quoi sert de me cacher si je traîne mon lien avec l'extérieur dans ma poche ?

Mon cœur s'arrête lorsque je vois la photo de Lucien (ce matin, je l'ai liée à son numéro) apparaître sur l'écran.

— Allô ?

— Salut Marie. Dis donc, t'es pas facile à joindre.

Il semble en colère. Je ne m'attendais pas à ce ton furieux.

— Ah… tu m'as appelée juste une fois, pourtant…

— Juste une fois ? Tu veux rire ? Je t'ai appelée sans arrêt sur Skype et quand Tintin m'a finalement donné ton numéro, je t'ai contactée aussitôt !

Je vais dire comme Laura : *oh my God…*

— Suuurrr… Skyyype ?

— Je t'avais dit qu'on pourrait se voir sur Skype, tu ne te rappelais pas ? T'as même un compte, je te l'avais créé exprès.

Je me cogne le front de mon poing. Ce que je peux être nulle en technologie ! Pendant qu'il installait l'application, je croyais qu'il s'amusait à je ne savais trop quel jeu. Je ne peux pas lui avouer que je ne sais même pas comment utiliser Skype, il va croire que je suis stupide.

— Tu sais pas utiliser Skype, hein, Marie ? fait-il d'une voix radoucie.

— Tu vas penser que je suis nulle.

— T'es bien des choses, mais « nulle » n'en fait pas partie.

— Merci, c'est gentil de me rassurer.

— C'est plutôt moi qui ai besoin de me faire rassurer, dit-il. J'étais inquiet ! J'ai même répondu comme un abruti au journaliste de *Vedette Monde* parce que j'étais trop occupé à vérifier mes messages. Je ne sais même plus ce que j'ai dit !

— C'est vrai ? Je faisais la même chose… vérifier mes messages, je veux dire.

Son rire est un baume sur mon petit cœur fébrile. Il semble aussi soulagé de me parler que moi de l'avoir au bout du fil.

— Je suis heureux d'entendre ta voix. Ici, c'est la folie. On n'a pas le temps de respirer. Les gars sont *cool*, mais tu me manques…

— Je m'ennuie de toi aussi. On n'a pas fini notre chorégraphie. Madame Lessard commençait à t'aimer un peu. Je pense qu'elle se sent abandonnée, dis-je avec un petit sourire aux lèvres.

— Marie…

Sa voix semble troublée. Je cesse de respirer, prise par mes propres émotions.

— Oui ?

— Je t'aime aussi.

— …

— Es-tu encore là ?

— … (soupir)…

— T'es bouche bée ? J'aurais voulu te le dire en personne, mais tout est arrivé si rapidement…

— Lucien…

— Oui ?

— Je pense que c'est pas une bonne idée.

— Tu ne pensais pas ce que t'as dit sur ma boîte vocale ?

Alors, je l'ai vraiment dit…

– Non ! Euh, oui ! C'est pas ça…

Ah ! Seigneur, je marmonne comme une nouille.

– Marie, stop ! T'en fais pas, OK ? On va trouver une façon de ne pas se perdre.

– …

– Marie… tu me fais peur, là. Dis quelque chose…

– Avec tout ce qui se passe dans ta vie, c'est toi qui as peur de me perdre ? Tu me niaises ?

– Je suis très sérieux. Marie, même si ça veut dire de ne plus pouvoir te cacher dans le fond d'un placard… acceptes-tu d'être ma « blonde » ?

Comment il sait que je suis dans mon placard ?

– Ta blonde ? Je ne savais même pas que tu connaissais ce mot-là, dis-je, la voix éraillée par l'émotion.

– J'étudie le québécois depuis des jours. Je voulais te faire une surprise. C'est le premier mot que j'ai retenu. J'ai aussi appris à « sacrer » ! Cooowwwlisse…

– Wow, t'es trop bon !

– Tabarn…

– OK, OK, je te crois ! Shhhhh !

– Alors, c'est oui ? insiste-t-il.

– OK.

– OK ?

— Oui ! OK ! dis-je plus fort dans le combiné vitré.

— Tu ne le regretteras pas, promet-il.

Lorsqu'une demi-heure plus tard, je lui dis bonne nuit, je saisis toute l'ampleur de notre promesse. Adieu ma paix, allô l'univers des célébrités. Je regarde autour de moi, ces murs étroits, sans fenêtres, et je me félicite d'avoir créé le seul endroit au monde où je serai vraiment seule.

Si je laisse mon iPhone dans ma chambre, bien sûr.

Chapitre 41

La séductrice programmable

La question à 100 $ de la journée est la suivante : quelle est la meilleure heure pour appeler un garçon dont on est amoureuse, à qui on n'a pas parlé depuis des jours parce qu'on a fait gaffe sur gaffe et dont on se cache depuis tout ce temps ?

Je suis dans la chambre que je partage avec Marie-Douce chez les Cœur-de-Lion, le téléphone sans fil à la main. Première chose, je ne dois pas être dérangée. Or, Marie-Douce peut arriver n'importe quand. Elle aussi avait un appel important à faire. De deux choses l'une : elle va arriver en pleurant ou avec un sourire radieux. J'ai hâte de savoir !

J'ouvre la porte-patio. La chambre de Marie-Douce dispose d'un balcon à la Roméo et Juliette. C'est de toute beauté avec le muret de pierres (blanches, évidemment !). Je m'assois sur la chaise longue et je fixe le clavier du téléphone. Je connais le numéro de Samuel par cœur. Pourtant, mes doigts pianotent autre chose…

— Allô ? fait une voix féminine.

— Salut Alex, je voulais savoir si tu t'es bien rendue, dis-je en couvrant mon front de ma main, honteuse de ne pas avoir eu le courage d'appeler Samuel.

— Ouiiii, comme tu peux le constater… soupire Alexandrine.

– OK.

– Laura, est-ce que ça va ?

J'émets un long soupir exagéré dans le combiné et mon amie éclate de rire.

– En tout cas, Marie-Douce et toi, vous êtes pas reposantes, hein ! C'était quoi ces conneries à propos de Corentin ?

Zut, j'avais oublié qu'en téléphonant à Alexandrine, je m'exposais à des questions au sujet de notre méga-gaffe au sujet de Corentin !

– C'était rien. Une blague.

– Penses-tu qu'il s'intéresse à moi ? demande-t-elle.

Est-ce de l'intérêt que j'entends dans sa voix ?

– Aucune idée. Corentin ne me raconte pas ses histoires de cœur.

Et son obsession concernant Marie-Douce, ce n'est pas une info publique. Je ne l'ai jamais dit à Alexandrine, du moins, pas dans mes souvenirs !

– Il est vraiment *cute*. Et ce petit accent mi-français, mi-québécois, c'est pas désagréable !

– Corentin parle à moitié québécois ?

– Ben oui, il a même dit un gros mot québécois dans la voiture de Bruno, tantôt.

– Il était fâché contre nous ?

Alex éclate de son rire clair.

– Pas mal, oui. Et je me suis dit : s'il est si en colère, c'est qu'il doit y avoir du vrai dans votre supposée blague. Mais Corentin ne me semble pas du genre à être timide, je me trompe ?

J'allais dire « demande ça à Marie-Douce ! », mais je me retiens juste à temps.

– Aucune idée ! Changement de sujet ! J'ai besoin de conseils.

– Ah oui ?

– Ouais… je dois me déniaiser et appeler Samuel. Je dis quoi ?

– Ouf…

Ouf ? C'est tout ce à quoi j'ai droit comme conseil ? Elle me fait peur, là !

– Ton super livre magique sur comment agir avec les garçons, il dit quoi ?

– De ne jamais appeler un garçon en premier.

– OK, mais si le garçon m'a déjà dit vouloir sortir avec moi, mais que j'ai été trop idiote ? Il était pas content que j'aie été méchante avec Maurice Gadbois. Est-ce que dans un cas semblable, je peux l'appeler ?

– Ooooh ! Maurice Gadbois, c'est le meilleur ami de Samuel depuis des années. Tu veux donc dire dans le cas où le garçon est très fâché contre toi ?

– Oui, c'est ça !

— Attends, je vais chercher mon livre.

Quelques secondes plus tard, elle revient et j'entends les pages qu'elle semble tourner rapidement.

Je grimace, le cœur en bouillie.

— Comment ça se fait que j'ai jamais su à quel point Maurice et Samuel étaient bons amis ? Je pensais que Maurice ne faisait que le chien de poche pour courir après Érica ! Mais il s'intéresse pas à Érica du tout ! C'est son COUSIN !

— Ah ouin ? Je ne savais pas ça ! Elle me l'a jamais dit ! s'exclame Alexandrine. C'est une grosse menteuse. J'en reviens pas !

— C'est fou, han ? Faire croire que ton propre cousin est fou de toi, il faut avoir du front tout le tour de la tête !

— Wow, sérieux, Laura, cette fille, c'est une folle.

— Je sais !

— Un vrai danger public, ajoute Alex.

— En tout cas, je vais m'en tenir loin.

— Moi aussi ! Pouah !! fait Alex, dans le combiné.

— Si j'avais eu la moindre idée de tout ça, j'aurais fait plus attention avec Maurice ! J'ai insulté le meilleur ami de mon nouveau chum. C'est terrible.

— T'aurais mieux choisi ta victime pour te défouler, en effet, dit-elle.

— Non! C'est pas ça que je veux dire. J'avais pas à me chercher une victime du tout, c'était pas correct. C'est Érica qui m'énervait et Maurice était là… bref, j'ai fait une gaffe en attaquant le meilleur ami de Samuel. Il est très protecteur envers Maurice, en plus.

— Un peu comme moi avec Clémentine, dit-elle.

— Oui, on dirait bien. Alors, je fais quoi?

— Pourquoi tu lui écris pas un courriel? J'ai son adresse si tu l'as pas, t'sais. J'ai les adresses de tout le monde de l'école ou presque.

Je ferme les yeux, tentée de prendre la voie facile: le courriel. Hop! Du bout des doigts, je pourrais lui écrire sans avoir peur de bégayer. Ça serait simple. Facile. Par contre, s'il décidait de ne pas me répondre, je crois que je deviendrais folle d'angoisse.

— Non, je dois lui parler de vive voix.

— Alors, va le voir.

— Il a toujours plein d'amis autour de lui et surtout un dimanche après-midi. *Oh my God*, non.

— Tu veux pas le voir, mais tu veux l'appeler pendant qu'il est avec plein d'amis? C'est pas stratégique, ton affaire, Laura.

— T'as raison. Je vais attendre après le souper. C'est ça, excellente idée!

Alexandrine ricane doucement dans le combiné.

– Ben voyons, Laura. Avant ou après le souper, Samuel est toujours avec ses chums. S'il veut vraiment te parler, il va s'éloigner et se concentrer sur toi.

– Tu penses ?

– Je te l'ai déjà dit : l'amour, c'est plus fort que…

– … la police. Je sais.

– Allez, fais une femme de toi et appelle-le. Mais ne jase pas plus de dix minutes.

– Pourquoi ?

– Ça fait partie des règles. Il ne faut pas s'éterniser au téléphone et surtout, faut t'assurer d'être la première à raccrocher.

– Euh…

– Tu veux qu'il t'aime ou non ?

– Oui… mais je ne suis pas un robot programmable.

– Il faut ce qu'il faut. Allez, va et rends-moi fière de toi.

Je raccroche, encore plus nerveuse qu'avant de discuter avec Alex. Parler dix minutes, terminer la conversation la première… Je pense que je vais aller vomir et attendre quelques heures.

Chapitre 42

Guerre des nerfs

Au souper, j'affiche un sourire niais. J'ai envie de crier ma joie, de gambader, d'étreindre chaque personne que je croise. Mais je m'abstiens. Même si Corentin semble se sentir mieux, il ne sautera pas de joie si je lui balance au visage que Lucien et moi sommes des amoureux « officiels ».

Heureusement, l'humeur de Corentin est revenue à la normale, il a même un air satisfait. Est-ce son petit périple en voiture pour reconduire Alexandrine chez elle qui le rend aussi joyeux?

Laura s'installe, non, je dirais plutôt qu'elle se laisse tomber de tout son poids sur la chaise à ma droite. Dans la salle à manger, Valentin et ma mère occupent chaque extrémité de la longue table, comme s'ils étaient le roi et la reine des lieux. Ce n'est pas faux, après tout! Gisèle s'affaire à préparer le souper avec Biche qui s'amuse à prendre des leçons de cuisine, et Georges discute avec Valentin des nouvelles internationales. Miranda tend le cou pour voir si le repas s'en vient et Corentin joue de la batterie avec sa fourchette et sa cuillère sur son napperon.

– Ça va?

J'ai posé la question discrètement à Laura qui semble découragée. J'espère que ce n'est pas Samuel qui lui a fait de la peine.

– Ouais… As-tu appelé chose ? me demande-t-elle.

– Chose ? demande Miranda. Qui est chose ?

– Lucien, sans doute ! intervient Corentin.

– Aaaah, le beau Lucien, susurre ma mère. Je l'ai justement vu à la télévision tout à l'heure. Ils en parlent sans cesse à TV5. Un Français qui s'ajoute à un groupe britannique reconnu mondialement, c'est pas souvent que ça arrive. Tu vois, Laura, c'est à ça que ça sert d'apprendre à parler anglais, ajoute-t-elle.

Ma mère ne comprend pas que Laura n'ait pas encore appris l'anglais. Pour elle qui a voyagé partout dans le monde avec le cirque, il est impensable de ne parler que le français.

Laura grimace en roulant les yeux.

– Parce que je ne parle pas anglais, je ne ferai donc jamais partie d'un groupe britannique. C'est plate, han ?

– Bien envoyé ! ricane Corentin.

– Tant pis pour toi, Laura, tu manqueras de belles opportunités dans ta vie, c'est tout ! dit Miranda, vexée que personne ne l'appuie.

– Je sais très bien ce que tu veux dire, Miranda, dit finalement Laura.

Ma mère lui a demandé d'arrêter de la vouvoyer. Ça me fait encore drôle de les voir se parler comme de vieilles copines.

— Je sais, ma chouette, répond ma mère avec un sourire nouveau. *I'll teach you if you want*[2].

— *It's OK*[3], dit Laura. Vous voyez ? Je suis déjà bilingue. Est-ce qu'on peut parler d'autre chose ?

— Des cours de la bourse, peut-être ? suggère Corentin en me fixant avec un sourire condescendant.

— Ou de ta balade avec Alexandrine Dumais ? renchéris-je.

Laura me donne un coup de coude dans les côtes.

— Ayoye ! Pourquoi tu me bats ?

— Pourquoi t'as mentionné Alex ? On n'était pas déjà assez dans le trouble avec ta gaffe de tantôt ? dit-elle entre ses dents.

— MA gaffe ? C'est toi qui as parlé super fort !

— Hé, je suis assis « drette » devant vous, je vous entends… fait Corentin en imitant notre accent.

— Mais de quoi est-ce que vous parlez ? demande Miranda, encore agacée.

Corentin adresse à ma mère un sourire sarcastique, alors que Valentin et Georges, toujours

---

2. Je t'enseignerai, si tu veux.
3. C'est correct.

en pleine discussion au sujet des derniers films français, ne portent aucune attention à ce qui se passe entre les ados et Miranda.

— Ces deux-là ont dit à leur amie — devant moi — que je voulais sortir avec elle.

Miranda nous lance un regard outré.

— Voyons, les filles ! Marie-Douce, ça ne te ressemble pas de faire une chose pareille ! Laura, par contre, je ne peux pas dire que je suis surprise…

— Merci, marmonne Laura avant de pointer sa fourchette vers Corentin. Il est chanceux, on l'a aidé, dit-elle.

— Merci, mais j'ai pas besoin d'aide avec les meufs !

— J'aurais pas cru ça, pourtant, murmure Laura.

— Hé ! Ça veut dire quoi, ton petit commentaire ? s'insurge Corentin.

— Woh ! Calmez-vous ! dis-je, maintenant énervée.

— T'es même pas capable de parler à Samuel ! l'accuse Corentin. Trop gênée ?

Franchement, son accent québécois commence à être impressionnant.

— Hé, c'est chien ! rétorque-t-elle. Je vais l'appeler tantôt, tu sauras.

– C'est pas de ses affaires, Laura, dis-je pour la calmer.

– Si ma vie est de vos affaires, alors, la vôtre est des miennes ! Tu vas lui dire quoi ? Han ?

Wow ! Corentin imite Laura presque à la perfection.

– Je ne sais pas encore. Je verrai en lui parlant.

Corentin fait un petit sourire ironique que Laura ne manque pas de remarquer.

– Hé ! C'était quoi, cette face de pet là ? demande-t-elle. Est-ce que tu sais quelque chose que je ne sais pas au sujet de Samuel ? Est-ce que Maurice t'a dit des choses ?

Laura et moi sommes pendues aux lèvres de Corentin. Juste à plonger dans la profondeur de ses yeux bleus, nous pouvons être certaines qu'il sait des choses qu'il ne dévoile pas. Pourquoi ? Parce que ça ferait de la peine à Laura ?

Je lance un regard suppliant à Corentin, mimant un « non » muet de mes lèvres. Il a quelque chose à dire, mais il hésite. Plus les secondes s'écoulent, plus la tension monte.

– Samuel est fatigué de tes conneries, Laura, finit-il par révéler. Je suis désolé d'être celui qui te l'apprend.

Gisèle approche de la table avec un énorme plat chaud, mais Laura se lève brusquement, faisant tomber sa chaise dans sa hâte. Elle court vers le grand escalier.

Mon ventre gargouille et l'odeur de la lasagne me fait saliver. Malgré cela, je ravale ma faim pour suivre ma sœur et la consoler. Je me doute de sa direction. Elle aura toute une surprise à destination.

Chapitre 43

Caverne d'urgence

La porte du placard n'est plus qu'à quelques mètres. J'essaie de retenir mes larmes jusque-là. Je me doute bien que Marie-Douce m'y rejoindra pour me consoler. J'aurais cependant besoin de quelques minutes de solitude entre la bouteille de Hertel et la vadrouille toujours un peu humide que le personnel ménager (eh oui, ils sont plusieurs!) utilise pour nettoyer les planchers des pièces de l'étage (ouaip, beaucoup de chambres!) et du corridor.

J'ouvre la porte entrouverte sans allumer parce que j'ai besoin d'obscurité. Je n'y vois pas grand-chose, mais l'odeur est différente. Ça ne sent plus le citron, encore moins la vadrouille mouillée. À la place, un doux parfum de vanille embaume la petite pièce dépourvue de fenêtres. Lentement, mes yeux s'acclimatent à la pénombre et je vois que les tablettes ne contiennent plus de détergent, mais quelques bouquins et cahiers. C'est trop bizarre, j'ai besoin de lumière. Je tends la main vers l'interrupteur pour vite me rendre compte qu'il ne sert à rien. Peut-être avons-nous une panne d'électricité?

Toutes ces questions me font presque oublier de pleurer. Que s'est-il passé ici? Ça m'agace un peu, moi qui voulais verser toutes les larmes de mon corps accroupie en martyre entre deux balais !

— Il y a une lampe de poche à côté des livres, sur la tablette, fait la voix de Marie-Douce derrière la porte entrouverte.

— Quoi ?

Elle pousse la porte et me contourne pour trouver la lampe qu'elle allume d'un clic. D'une main assurée, elle vise le sol dans le coin du placard. Ce que je vois dans le halo me surprend !

— Ce sont des coussins ?

— Ouiiii ! Et regarde par ici !

Elle pointe… un… un…

— … un petit frigo ? Wow ! T'es complètement folle !

— C'est l'idée de Gisèle. Bruno l'a monté, il était dans le garage.

— Y a quoi dedans ?

— Jus, eau… et regarde !

Elle pointe une autre tablette sur laquelle se trouve un énorme bol de plastique. Je m'avance pour le saisir et ce que j'y vois me fait écarquiller les yeux !

— Nooooonnnnn ! C'est bourré de chocolats et de réglisses !

– Je te présente officiellement notre «caverne d'urgence». C'est ici qu'on pourra venir pour s'isoler quand on en a besoin. J'ai même laissé ici le cahier des «filles modèles» avec d'autres carnets neufs. On pourra écrire tout ce qui nous passe par la tête, faire des gribouillis, des listes comparatives ou n'importe quoi.

Elle me montre la poignée, munie d'une serrure codée.

– Pour déverrouiller, le code est 6633. Facile.

– Qui connaît ce code?

– Nous deux et Valentin. C'était sa condition pour approuver l'installation de la serrure. Qu'en dis-tu?

– Euh… c'est incroyable! Vraiment! T'as fait ça quand?

– Aujourd'hui! Je suis un peu étonnée que le frigo et la serrure soient déjà installés. Je pense que Gisèle et Biche ont fait un peu de pression pour accélérer le processus, sourit-elle.

– C'est vraiment *cool*, je capote!

Puis un silence tombe entre nous. Remise de ma surprise, ma peine fait un retour en force dans ma poitrine. Samuel, qui est fatigué de mes niaiseries. Je l'ai perdu pour de bon!

– Je peux avoir quelques minutes seule, s'il te plaît?

Marie-Douce hoche la tête avec un demi-sourire compréhensif.

– Bien sûr. Fais-moi signe quand t'es prête.

Une fois seule, les minutes qui suivent sont chaotiques. Mon esprit, ma tête, mon cœur se chamaillent. Mon esprit est en colère contre moi et mes gaffes répétitives; ma tête me dit que tout est récupérable, que Corentin a sûrement exagéré; mon cœur veut mourir et me conjure de ne pas me risquer à forcer Samuel à me confirmer que tout est bien fini entre nous.

Je saisis le cahier vert, tourne les pages, la lampe de poche entre les dents, et je trace trois lignes horizontales.

Dans la première section de la page, je dessine un fantôme cartoonesque pour représenter mon esprit. Dans la deuxième section, une tête de mort pour représenter ma tête. Dans la section du bas de la page, la troisième, j'esquisse mon cœur brisé.

que dit mon esprit :

· Qu'as-tu pensé, Laura St-Amour ? Faire des conneries pareilles ! Tu ne changeras jamais !

· Je te déteste, Laura St-Amour ! T'es juste une nouille qui ne sait même pas parler aux garçons !

· Trop gênée, trop nulle, Samuel mérite mieux qu'une fille bébé lala comme toi !

e que dit ma tête :

· Ne pas croire tout ce que dit Corentin (il peut exagérer pour se venger de toutes les fois où j'ai été trop franche avec lui concernant Marie-Douce).

· Me rappeler le dicton d'Alexandrine : l'amour, c'est plus fort que la police !

· Laisser le temps au temps et imaginer ce que dirait ma mère dans pareille situation : s'il est pour toi, il te reviendra.

que dit mon cœur :

· Je souhaite rester ici, dans ce placard de luxe, jusqu'à la fin des temps et ne jamais savoir ce que pense réellement Samuel Desjardins.
De cette façon, je pourrai rêver qu'il m'aime et ne pense que du bien de moi.

Voilà qui résume mon état actuel.

Je dépose le stylo, la lampe de poche et le cahier sur la tablette. Il est temps de consulter Marie-Douce pour avoir son avis sur la situation.

Chapitre 44

Une visite risquée

Bruno sourcille lorsque je lui demande de m'emmener chez Samuel Desjardins.

– C'est une urgence extrême, lui dis-je, pour achever de le convaincre.

Nous sommes dans le garage (dont le plancher de céramique est plus propre que celui de ma chambre chez mon père !), Bruno est occupé à cirer le flanc de la limousine noire.

– Tu vas te mêler des affaires de Laura ? demande-t-il, incrédule.

– Exactement. Tu m'aides ?

Il me fait un sourire en coin. Je ne sais pas trop comment c'est possible, mais Bruno semble être au courant de nos vies. D'un geste rapide, il dépose son chiffon de cirage et s'essuie les mains à l'aide d'une serviette qu'il gardait à sa portée. Il saisit un des porte-clés sur un des crochets vissés au babillard et me fait signe de patienter.

– Je dois aviser le patron, j'en ai pour une seconde.

Pour ce faire, il tapote sur son iPhone, attend le OK de Valentin, puis relève la tête pour m'encourager à le suivre.

Quelques minutes plus tard, je descends de la Mercedes blanche devant la maison de Samuel et Samantha Desjardins. Il y a deux voitures dans le stationnement, je serais donc surprise qu'il n'y ait personne. Mon cœur s'agite un peu. Ce n'est pas mon genre de me mêler des affaires des autres, mais cette fois-ci, c'est plus fort que moi. Laura est très inquiète et je sais trop bien comment elle se sent.

Je dois parler à Samuel.

Je vais me glisser sur le perron, lorsque des voix masculines me parvenant du côté de la maison m'arrêtent dans mon élan. Je ne sonne donc pas, curieuse de voir si c'est Samuel qui va apparaître. Effectivement, le voilà avec Xavier Masson et Maurice Gadbois. Les trois garçons me dévisagent. Leur regard passe de la Mercedes garée dans la rue devant la maison à moi, à plusieurs reprises.

– T'es venue voir Samantha ? demande Samuel.

Je secoue la tête.

– Non. En fait, je suis venue pour te parler, Samuel. T'as deux minutes ?

Xavier Masson me fixe d'un air sûr de lui du haut de ses deux ans de plus que moi et Maurice émet un rire nerveux. Ils tiennent chacun leur planche à roulettes sous leur bras. Je devine qu'ils s'en allaient faire du skate et que je retarde leur départ. Samuel dépose sa planche contre le mur de ciment.

– Allez-y, je vous rejoins ! dit-il à ses copains.

J'attends que les deux garçons soient hors de portée de voix avant de sourire timidement à Samuel. C'est vrai qu'il est beau. J'étais tellement préoccupée par Lucien que j'avais oublié à quel point le jumeau de Samantha est mignon. Dire qu'un jour, j'ai déjà eu moi-même une petite flamme pour lui. Il me semble que ça fait des années-lumière de ça.

– De quoi est-ce que tu veux me parler, Marie-Douce ?

– Est-ce qu'on peut aller ailleurs ? Je ne voudrais pas que Samantha ou Constance entendent.

– Pas de danger, elles sont parties au cinéma, dit-il en s'assoyant sur la dernière marche du perron.

Je l'imite en croisant les jambes devant moi. Incertaine de la bonne façon d'aborder le sujet, je joue distraitement avec les mèches blondes de mes cheveux.

– C'est Laura, dis-je, sans autre détour.

– Je m'en doutais, dit-il sans sourire.

Nous sommes assis côte à côte, comme de vieux amis. De sa Mercedes, Bruno pourrait nous épier, mais je le vois par sa fenêtre ouverte, il est concentré sur son iPhone.

– Euh… tu voulais me dire quoi ? demande Samuel.

— Ah, excuse-moi, je suis distraite.

— Avec tout ce qui se passe dans ta vie, c'est un peu normal, dit-il.

— Ouais, c'est un peu fou, en effet.

J'hésite, je regrette d'être là. Il va penser que Laura me fait faire ses messages. Elle va me tuer et aura raison de le faire !

— Laura ne sait pas que je suis venue, dis-je en vitesse. C'est important que tu le saches.

Il rit doucement.

— Laura a bien des défauts, mais elle est pas du genre à faire faire ses messages par quelqu'un d'autre, dit-il.

— En effet. J'aimerais beaucoup qu'elle ne l'apprenne pas, OK ? Je veux dire, euh… que je vais lui dire moi-même.

— Pas de trouble.

— Corentin lui a dit que tu ne voulais plus rien savoir d'elle… que t'étais tanné de ses niaiseries. Est-ce que c'est vrai ?

Samuel secoue la tête en riant encore.

— Je vais étriper Cœur-de-Lion, dit-il. Il est pas capable de se la fermer !

— Alors c'est vrai ? T'as vraiment dit ça ?

— J'ai dit ça comme on dit qu'on ne mangera plus de *chips* parce que ça donne des boutons. C'est vrai qu'elle me tape sur les nerfs, qu'elle fait des conneries, qu'elle agit comme un bébé… Tu le sais aussi bien que moi, Marie-Douce.

— Mais… dis-je, pleine d'espoir.

Il me regarde, il semble sérieux.

— … mais ça fait deux ans que je l'aime. Je la connais mieux qu'elle le pense. Malgré tous ses défauts, elle me fascine, c'est plus fort que moi.

— Je comprends… Elle me fascine aussi.

Il me considère quelques instants, ses yeux plissés, remplis de questions.

— Mais pourquoi t'es venue jusqu'ici ? Qu'est-ce qui se passe avec Laura ?

— Je voulais juste savoir ce que tu ferais, c'est pour ça que je me suis déplacée jusqu'ici.

— On s'est pas laissés en bons termes, dit-il, comme à regret.

— Elle a vraiment de la peine…

Si Laura savait ce que je viens de dévoiler à Samuel, elle me tuerait !

— Tu penses qu'elle m'aime elle aussi ?

— Je ne peux pas parler à sa place, dis-je en souriant. Appelle-la, si tu veux le savoir…

— Peux-tu me donner son numéro, s'il te plaît ? Ça ne me tente pas de le demander à ma curieuse de sœur.

– As-tu un papier ?

Il sort un stylo de sa poche.

– Je vais l'écrire dans ma main.

– Je te donne celui chez sa mère, c'est là qu'on sera plus tard ce soir. T'es prêt ?

Chapitre 45

La grande sage

Lorsque je sors de ma tanière (c'est-à-dire le super placard antipanique), je constate que Marie-Douce est introuvable. Le souper est terminé et mon ventre qui crie famine me rappelle que je suis sortie de table avant de goûter à la super lasagne de Gisèle. À la cuisine, cette dernière et Biche discutent encore. C'est à croire que Biche est venue au Québec pour passer du temps avec sa vieille amie. Ce que je trouve encore plus mignon, c'est qu'elles se vouvoient. C'est beau, je trouve, cette déférence entre les gens. Biche vouvoie tout le monde sauf les ados, elle a beaucoup de classe.

Je m'introduis dans la pièce sans faire de bruit dans l'espoir de me réchauffer un peu de lasagne dans le micro-ondes pour calmer ma faim. Contrairement à ces deux adorables pies, je n'ai pas envie de jaser !

– Laura ! Tu dois être affamée ! Je t'ai gardé un plat, me lance Gisèle avant que j'aie pu fouiller dans le frigo par moi-même.

– Merci…

Les deux femmes se consultent du regard avant de se concentrer sur ma personne. Leur sourire complice m'indique qu'elles ont quelque chose à me demander…

—Comment as-tu trouvé ta nouvelle «caverne d'urgence»? me questionne Biche.

Bingo! Je le savais qu'elles me poseraient des questions...

—Super *cool*.

—Et le petit frigo? ajoute Gisèle avec un air espiègle.

—Ouais... super bonne idée. Euh... merci de vous être donné tout ce trouble.

—C'était pas de trouble! proteste Gisèle. À votre âge, j'aurais adoré avoir un placard comme le vôtre.

—Ouais... On est pas mal gâtées. Où est Marie-Douce?

Gisèle jette un coup d'œil à son iPhone sur lequel elle vient de recevoir un texto.

—Elle est avec Bruno, m'annonce-t-elle. Elle avait une course à faire.

Je cligne les paupières plusieurs fois. La seule «course» que Marie-Douce doit faire ce soir, c'est retourner chez son père et ma mère avec moi. Elle était censée attendre mon signal pour revenir me consoler!

—Elle est allée faire quoi?

Les deux femmes haussent les épaules. Elles ne sont pas naturelles, elles savent quelque chose que je ne sais pas!

– Hé, vous êtes très mauvaises comédiennes ! Qu'est-ce qui se passe ?

– Euh…

Comme pour faire exprès, Georges entre en courant dans la cuisine, brandissant son iPhone au visage de Biche.

– Mademoiselle Biche ! Qu'est-ce que cette FOLIE ABSURDE ! s'écrie-t-il. Jamais je n'accepterai de commettre un geste d'une telle monstruosité, vous m'entendez ? JAMAIS ! Je pourrais perdre ma licence !

– Quoi ? Quoi ? Quelle monstruosité ?

Mais personne ne m'entend. Georges est trop occupé à argumenter avec Biche qui lui répond dans son français pointu avec beaucoup plus de grandiloquence que d'habitude.

– Non, mais bordel, Georges ! On n'est plus en 1991. Un peu de modernité, que diable ! La jeune fille veut du changement. Du chan-ge-ment ! Haut les cœurs ! Hééé !

– Laura ! Toi, tu seras de mon côté ! s'exclame Georges en pointant un doigt tremblant vers moi. Regarde ce que mademoiselle Biche veut faire à Marie-Douce !

Il me tend son téléphone sur lequel la photo d'un caniche blanc apparaît. Je fronce les sourcils, incertaine de comprendre… Biche veut-elle que Marie-Douce se fasse faire une permanente bouclée pour avoir l'air d'un caniche royal ?

— Euh… elle veut la transformer en chien ?

Georges me regarde avec surprise, puis saisit son appareil.

— Nooooonnnn ! Ça, c'est la photo de ma Gigi ! Voyons, nom de Dieu, j'ai perdu la photo. Ah ! Voilà ! Regarde ! C'est épouvantable !

Le portrait que Georges me montre d'une main tremblotante de colère est celui d'une inconnue, visiblement un mannequin de magazines de coiffure. Sa chevelure rouge pompier est très courte et éméchée. Perso, je trouve ça très *hot* parce que cette frange crêpée en pointe sur le front rappelle la mode des années 80. Et Dieu sait combien j'aime tout ce qui est de cette époque. D'ailleurs, si j'en avais le courage, je demanderais cette coiffure pour moi-même…

— Elle est super belle, cette coupe !

Biche me fait un sourire satisfait.

— Vous voyez ! Laura est d'accord avec moi ! Sur Marie-Douce, ce sera génial.

— Euh… Pas certaine que ce soit ce que Marie-Douce souhaite, par contre, dis-je, en levant un index comme pour dire « une minute ! »

Georges et Biche, qui allaient se prendre à la gorge, stoppent leur élan et me fixent d'un regard surpris.

— Voilà la voix de la raison! proclame Georges.

— Pourquoi proposes-tu que Marie-Douce se fasse faire une coupe pareille, Biche? Et avec cette couleur capotée? Je ne comprends pas.

Biche se rassoit sur le banc qu'elle a désormais l'habitude d'occuper pour jaser avec Gisèle.

— Marie-Douce file un mauvais coton. Il est très difficile pour elle de passer pour « Cendrillon » partout. Elle m'a dit avoir besoin d'un grand changement. Selon moi, cette coiffure sera appropriée pour changer de look de façon drastique. Elle me l'a dit textuellement: drastique!

— Est-ce que Marie-Douce est d'accord pour avoir cette tête-là?

— Elle n'a pas encore vu ma suggestion, reconnaît Biche. C'est une surprise…

— C'est une folie qui détruira son image! pleurniche Georges.

— Marie-Douce se fiche de son image! nous exclamons Biche, Gisèle et moi, en même temps.

C'est là que Georges nous fait un sourire victorieux:

— Mais ma cliente, ce n'est pas Marie-Douce, c'est madame Cœur-de-Lion. Jamais elle n'acceptera une telle abomination.

Georges glisse son iPhone dans la poche de sa veste, puis nous fait la révérence en sortant de la cuisine.

— C'est tout ce que j'avais à dire… Bonne nuit, mesdames…

Une fois seule avec Biche et Gisèle qui s'affaire à vider le lave-vaisselle, je m'abstiens de poser de plus amples questions sur les allers-retours de Marie-Douce. Elle me racontera tout ça elle-même.

— Je vais aller voir si ma sœur est revenue de sa petite escapade mystérieuse. On doit aller dormir chez ma mère et son père ce soir.

— Bonne soirée, Laura !

Juste avant de sortir de la pièce, je me retourne vers Biche.

— Si Marie-Douce accepte cette coiffure, je veux être là pour voir la tête de Georges, surtout si c'est lui qui lui fait la teinture à contrecœur.

— Bien reçu, Laura. On va bien rigoler, dit Biche en souriant.

— Ouaip…

Chapitre 46

Les chimpanzés discutent aussi

Je reviens chez les Cœur-de-Lion l'esprit en paix. Samuel a été un ange de compréhension. Il m'a beaucoup étonnée. Quand il est avec ses copains énervés, il est si différent. Il rit, bouge beaucoup et fait le niaiseux avec eux. On dirait que de parler de Laura le rend différent, plus calme, plus… mature. C'est bizarre de le voir ainsi.

Nous devons nous dépêcher de retourner chez mon père : c'est là que Samuel va appeler Laura. Je lui ai dit de viser 20 h, pas avant, le temps de faire nos valises et de saluer Corentin (même si on le verra demain matin à l'école !).

La fin de semaine a encore été intense. J'ai le cœur sur un nuage depuis ma conversation magique avec Lucien. Il m'aime, il me l'a dit pour de vrai. Je suis son ange gardien dans ce nouvel univers de fous, m'a-t-il confié. Je me suis pincé le bras, la cuisse, la joue pour être certaine de ne pas rêver. J'ai hâte de tout raconter à Laura, je sens que je vais éclater. Le hic, c'est que je ne peux pas lui balancer mon bonheur au visage si elle est en peine. Ça ne serait pas très gentil, d'une sœur à une autre.

Je dois l'avouer, ma visite à Samuel était motivée par une raison un peu égoïste. Quand j'ai vu le visage défait de Laura après ce que Corentin lui a dit concernant Samuel, j'ai eu un urgent besoin d'agir.

Mon nuage de bonheur ne peut pas être savouré comme il se doit si ma sœur est malheureuse. J'ai été incapable de me retenir d'intervenir.

La première personne que je croise en sortant du garage de la grande résidence, c'est Corentin. Il doit s'être mis sérieusement au skateboard lui aussi parce qu'il tient sa planche à roulettes et semble revenir d'une petite escapade. Ses cheveux bruns sont ébouriffés et ses joues rouges comme s'il avait couru. Je sais que Samuel et Xavier Masson passent leur temps à faire des acrobaties hallucinantes sur leur planche. J'imagine que Corentin s'est joint à eux. Maurice *skate* aussi… mais il est maladroit, le pauvre, d'après les essais que je l'ai vu faire dans le stationnement de l'école.

— Salut… dit-il. Je pensais que tu serais déjà partie chez ton père.

Puis il me fait un petit sourire en coin.

— Puisque t'étais chez Samuel… c'est plus proche, non ?

— Ah, il t'a raconté ?

Corentin croise les bras sur sa poitrine, il semble fier de ce qu'il va me dire.

— Alors, comme ça, t'as pas été capable de te mêler de tes affaires, hein ? J'aurais jamais cru que tu puisses être du genre à aller faire la messagère dans les histoires des autres. Tu me déçois, Marie-Douce.

— T'as blessé et inquiété Laura pour rien !

— Je n'ai dit que la vérité ! s'énerve-t-il. Samuel en a plus que marre du comportement de Laura ! Et il a raison.

Je ris doucement et rétorque d'une voix dure :

— Ce que t'as omis d'ajouter, c'est que ça ne l'empêche pas de l'aimer quand même. Il la connaît bien et l'accepte telle qu'elle est vraiment !

Corentin pose sa planche au sol et croise les bras sur sa poitrine.

— Ouaip, mais ça ne veut pas dire que ça va marcher. Samuel a réfléchi en venant nous rejoindre sur la piste de skate.

— Vous parlez des filles sur la piste de skate ? dis-je, étonnée.

— Ben oui ! On n'est pas des chimpanzés, qu'est-ce que tu crois ? Entre gars, on discute aussi.

— Wow…

Corentin me lance un regard désabusé, puis continue sur sa lancée.

— Samuel semble penser qu'avec Laura, c'est bien trop compliqué, m'explique-t-il. Il a plusieurs matchs de hockey à venir, il n'aura pas la tête à gérer les hauts et les bas de Laura St-Amour. Sans parler que ses parents lui mettent la pression, cette année. Il doit améliorer ses résultats scolaires, sinon il ne pourra plus jouer au hockey, et ça, c'est impensable. Il est prêt à tout pour continuer, même si ça veut dire oublier Laura.

– Oh…

– Tu connais Laura, avec elle, rien n'est simple. Crois-tu qu'elle pourra se montrer patiente avec lui ?

– Non…

Corentin émet un petit rire de découragement.

– Il faudrait que notre chère Laura nationale ait, elle aussi, une activité qui lui occupe l'esprit, quelque chose d'accaparant, un sport ou un projet d'envergure. Or, on sait très bien que le passe-temps de Laura, c'est de saboter sa propre existence…

– Oui, t'as raison. Je vais lui en parler. Souhaite-moi bonne chance.

Je prends une longue inspiration. Samuel est encore plus sérieux que je ne le pensais, et ça peut défavoriser Laura. Corentin a raison. Si Samuel déborde de responsabilités et de projets, Laura doit faire la même chose sans quoi elle risque de tomber dans un trou aussi noir que son vernis à ongles.

– T'étais où ?

La voix de Laura résonne derrière moi alors que je fais mon sac pour passer les deux prochains jours chez mon père. Sa question flotte dans l'air de la pièce quelques secondes, le temps que je décide entre le mensonge et la vérité.

– Je suis allée voir Samuel.

Je ne me retourne pas tout de suite. Pour être honnête, j'ai un peu peur de sa réaction. J'aurais pu mentir, mais, en fin de compte, ç'aurait été pire une fois qu'elle l'aurait appris. Trop de personnes sont au courant, dont Corentin la grande trappe !

– Quoi ?

– Je suis allée voir…

– J'ai entendu ! Ce que je veux savoir, c'est quelle mouche t'a piquée ?

Je pivote lentement sur moi-même. Je l'imagine déjà : ses grands yeux marron encore plus immenses, sa bouche crispée, ses joues et son cou plaqués de rouge, du feu qui jaillit de sa gorge de dragonne en colère… OK, j'exagère un peu.

Toujours est-il que la seule façon efficace de calmer Laura dans une situation pareille, c'est de détourner son attention.

– Faut se grouiller à aller chez mon père et ta mère. C'est là qu'il va t'appeler, dis-je, en retenant un sourire vainqueur.

– Han ?

– Allez ! Fais ton sac ! dis-je en saisissant le mien que je viens de boucler pour le balancer sur mon dos. Nathalie nous attend en bas avec mon père ! *Goooo !*

Et *vlan !* Je sors de notre chambre sans lui laisser le temps de se fâcher contre moi pour ne pas m'être mêlée de mes affaires. Depuis le couloir où je m'éloigne, je l'entends chialer toute seule. Malgré les gros mots qu'elle lance aux quatre murs qui l'entourent, mes lèvres esquissent un sourire satisfait.

Plus tard, quand elle se sera remise de ses émotions, il faudra lui trouver un plan pour survivre aux mois à venir si elle veut une vraie place dans la vie de Samuel.

Chapitre 47

Sur la lune

Je ne peux pas croire que Marie-Douce, d'ordinaire si discrète, ait pu faire une chose pareille! Sans sembler en être repentante, en plus! J'aurais pu lui arracher ses beaux yeux bleus s'ils n'avaient pas été si… pleins de bonnes intentions.

– Arghhh! Elle est folle! Je le savais! Où est-ce qu'elle s'en va? Elle me dit ça et m'abandonne à mon sort!

– Fais ta valiiiiiise! m'ordonne-t-elle de l'autre bout du corridor.

J'entends sa voix comme un écho qui résonne dans ma tête. Je suis en panique totale, figée sur place. Des yeux, je cherche une valise, jusqu'à ce que je me rende compte que je n'en ai jamais eu. J'ai un sac de sport pour mes vêtements. Oui, je suis confuse à ce point-là. J'arrive toutefois encore à respirer, jusqu'à ce que je voie l'heure qui brille sur le réveille-matin: 19 h 39.

– C'est pas vrai, il est huit heures moins vingt! Je vais manquer son appel et ce sera la faute à qui? Han? Haaaaan? Marie-Douuuuuuce! Aide-mooooi!

– Respire par le nez.

Je relève la tête pour découvrir Corentin accoté au cadre de la porte. Il me fixe avec son sourire de vainqueur. Je reconnais cette expression. Il me la fait toujours juste avant de me balancer un commentaire qui m'énervera au plus haut point.

— Pourquoi t'es toujours là quand il ne faut pas ? J'ai pas besoin de ton aide, dis-je en courant vers la porte que je pousse pour la lui fermer au nez.

Mais Corentin est plus grand et plus fort que moi. Il retient la porte d'une main. Pas moyen de m'en débarrasser.

— Je voulais seulement te dire à demain ! Cesse de râler !

— Je ne râle pas.

Corentin lève les sourcils, sceptique.

— C'est tout ce que tu sais faire. Faudra y remédier, dit-il.

— T'as raison, mais ma vie est pas simple. M'aiderais-tu à préparer mes affaires, s'il te plaît ? Je suis déjà en retard...

— Pour l'appel de Samuel ?

Il m'énerve tellement que j'en échappe les sous-vêtements que je m'apprêtais à mettre dans mon sac. Mes petites culottes fleuries roulent au sol sous le regard amusé de mon ami. Agacée, je me penche pour tout ramasser en vitesse.

— Comment tu sais, pour l'appel de Samuel ? dis-je en roulant mes sous-vêtements en boule.

— Facile, j'étais avec lui tout à l'heure.

– Il t'a parlé de moi ?

– Ouiiiii, mais je ne peux rien te dire. Désolé.

– C'est correct, je préfère ne rien savoir.

– Donne-moi l'autre sac, allez ! Hugo semble pressé de partir. Il manque la première période d'un match des Canadiens.

– Zut ! Y a une *game* ce soir ?

– Hors concours... mais contre les Bruins de Boston.

À ces mots, je me laisse tomber sur mon lit. Canadien VS Boston. Samuel va-t-il vraiment prendre quelques minutes pour me parler ? Il est beaucoup plus probable qu'il regarde le match et oublie de m'appeler.

– Ça y est, je suis moins nerveuse, tout à coup.

Quelques minutes plus tard, nous arrivons chez ma mère et Hugo. Je traîne dans la voiture à la recherche de ma veste blanche pour l'école. Je prends un sac, le dépose (fais semblant de l'avoir échappé), fouille dans l'autre pour je ne sais quel baume à lèvres qui, au fond, m'importe peu. Marie-Douce croit que je suis sur ses talons, elle entre dans la maison en coup de vent pour en ressortir quelques secondes plus tard, les deux mains sur les hanches et les sourcils froncés.

– Qu'est-ce que tu fous ? Il est moins cinq !
s'écrie-t-elle en ouvrant la portière.

– Relaxe ! Y a un match des Canadiens contre
les Bruins. Il appellera pas, c'est certain.

Il fait noir depuis plus d'une heure, c'est déjà la
nuit. Marie-Douce tient la portière ouverte et me fait
signe, avec impatience, de descendre de la voiture.

– OK, okééé ! J'arrive. As-tu vérifié l'afficheur ?
Est-ce que Samuel a téléphoné ?

Elle secoue la tête.

– C'est pour ça que j'ai couru à l'intérieur.
Aucun appel manqué, dit-elle en soupirant.

– Tu vois, je te l'avais dit.

– Il est pas encore 8 h !

– Il appellera pas.

Marie-Douce regarde vers la rue pour ensuite se
pencher à nouveau vers moi.

– Ooohhh… T'as un visiteur… Allez, sors de
cette voiture, dit-elle en tapotant le toit.

Quelques instants plus tard, je rejoins Samuel
qui m'attend sur la balançoire à trois places que ma
mère vient d'acheter et qu'Hugo a passé des jours
à monter en invoquant tous les saints du ciel. Il se
balance du bout des pieds, les paumes sur le bord
du coussin beige. On dirait qu'il est prêt à déguerpir.

À mon approche, il relève la tête avec un mouvement sur le côté pour libérer son visage de sa frange qui assombrit son regard. Encore cet air de mystère…

Mon pouls bat à 100 km/h. Mon cœur sortira de ma poitrine pour filer à toute vitesse dans la rue si je ne me calme pas. Marie-Douce, Hugo et maman sont entrés discrètement dans la maison. Les mains pleines de sacs, Hugo s'est raclé la gorge en bombant le torse, probablement pour intimider Samuel et l'avertir de faire attention à moi. C'est charmant, cette attitude protectrice qu'a Hugo. Ça me va droit au cœur.

— Salut, dis-je enfin, lorsque nous sommes seuls.

— Allô…

Je pointe le coussin à ses côtés dans une demande muette pour m'asseoir. Il sourit et hoche la tête. Plusieurs secondes passent avant que nous ouvrions la bouche pour parler.

— Laura, je…

— Samuel, je…

Nous avons parlé en même temps. Je ferme les yeux, embarrassée.

— Vas-y, m'encourage-t-il.

— Non, toi d'abord…

Il me fait un air excédé. Il a besoin, pour une fois, que je prenne les devants.

– OK, dis-je en jouant avec mes doigts. Je suis désolée pour Maurice. Je suis désolée d'être compliquée, je suis désolée de peu importe ce qui fait qu'on n'arrive pas à se parler.

J'expire mon air comme si je le comprimais depuis des heures. N'est-ce pas exactement ce que je faisais?

Il hoche la tête, sans sourire, toutefois. Je suis inquiète.

– J'ai beaucoup réfléchi, dit-il.

Zutttt! Dans les films, quand les gars réfléchissent, ce n'est jamais bon. Ils finissent toujours par prendre une décision radicale.

– Ah oui?

Ma voix tremble, il doit l'entendre…

– Oui. Et j'ai discuté avec Corentin et Xavier.

Oh mon Dieu… c'est le désastre assuré.

– Xavier me déteste.

– Il m'a raconté sa situation. Il est content que ton père l'ait recueilli, sinon il aurait été obligé d'aller chez sa grand-mère à Matane. Et je pense que t'as mal compris Xavier, il a pas l'air de te détester du tout.

– Ah non? Il a une drôle de façon de le montrer.

– Xavier est pas facile d'approche, mais t'es difficile à battre, dans ce domaine… dit-il.

– C'est pas une compétition, dis-je d'un souffle.

– Je sais.

– Donc, vous avez parlé de moi… reprends-je pour l'encourager à terminer son histoire de discussion avec ses conseillers de l'enfer.

– Corentin t'aime…

– Quoi?

Il rit.

– Du calme! Laisse-moi finir ma phrase. Corentin t'aime beaucoup.

– Je suis soulagée…

Corentin amoureux de moi, il ne manquerait plus que ça pour compliquer nos vies!

– Mais il m'a dit que t'étais un peu… euh… disons… spéciale, termine-t-il.

À cela, j'émets un rire sec, découragée.

– Je ne peux pas croire qu'il t'ait dit une chose pareille.

Samuel saisit ma main, entrelaçant nos doigts. Son geste a pour effet de me calmer et de me torturer à la fois.

J'ai envie de sauter de joie!

Mais ça paraîtrait mal.

– Je m'en fiche, de l'opinion des autres, Laura.

– Pour de vrai?

– Oui. Par contre…

En disant ces mots terribles, il détache ses doigts des miens. Mon cœur vient de cesser de battre, je pense que je vais faire une syncope.

Quoi ? Arrête de tourner autour du pot et parle !

— Qu'est-ce qui se passe, Samuel ?

Oh ! la belle voix suave que je viens de prendre. Marie-Douce serait fière de moi.

— Je vais être hyper occupé, avec le hockey et l'école. Mes notes doivent être excellentes, sinon mes parents me couperont le hockey. J'ai plein de tournois dans les prochaines semaines, et...

Si je ne me contrôlais pas de toutes les fibres de mon corps, je me lèverais d'un bond. Je sauterais aux pires conclusions. Je me dirais qu'il ne veut pas sortir avec moi et qu'il se sert d'excuses débiles pour prétexter ne pas être disponible. Je n'ai peut-être pas beaucoup vécu, mais j'ai vu mon lot de comédies romantiques ! Et quand le gars commence à dire à la fille qu'il sera occupé, c'est qu'il n'a pas envie de la revoir. C'est tellement le coup classique.

Au lieu d'éclater et de vraiment gâcher la seule chance qu'il me reste avec Samuel, je prends une longue inspiration, ferme les yeux, et m'efforce d'être sage. Si je réussis, je mériterai une médaille et son amour éternel... *Allez, St-Amour, sois sage.*

– Je peux t'aider en maths, dis-je, me surprenant moi-même.

Je ne suis pas super bonne dans cette matière, une moyenne de 79 %, pas de quoi s'improviser experte, mais pour la cause, je suis prête à demander à Corentin de venir à ma rescousse… Isssssh, être prête à me mettre à la merci de Corentin, ça c'est de l'amour, non ?

À mon offre, son visage s'illumine. On dirait que je viens de lui décrocher la lune ! Mon cœur s'emballe. *J'ai fait un bon coup ! J'ai fait un bon coup !*

Encore une fois : sauts de joie imaginaires.

Faut pas gâcher le moment en galipettes puériles.

– J'aimerais beaucoup, dit-il.

– On aura du temps pour se voir, dis-je, et tes parents n'auront pas le choix d'approuver…

– T'es géniale…

Ouais… pas si géniale en mathématiques…

Malgré tout, je suis confiante. Je peux y arriver. Au pire, ce tutorat improvisé me fera obtenir de meilleures notes.

Je regarde le ciel, les étoiles sont brillantes et la lune est presque pleine. La nature est magnifique et je suis sensationnelle. Pour une fois, j'ai réussi à ne pas saboter mon bonheur. Yé !

– Laura… T'es dans la lune… dit-il en touchant ma paume de sa façon bien particulière.

Puis, avec beaucoup de précaution, il entoure mes épaules de son bras. Je laisse ma tête reposer sur lui.

Faux. Je ne suis pas dans la lune, mais bien SUR la lune. Dans une dimension où rien ne peut gâcher le moment présent.

Chapitre 48

Popcorn multicolore

Bien entendu, j'observe la scène depuis la fenêtre du salon. J'ai même un bol de Froot Loops sans lait en guise de *popcorn* pour visionner le drame désastreux qui se déroulera sur mon perron. J'ai du mal à distinguer tous les mots qu'ils s'échangent, j'aimerais tant les entendre mieux. Avoir su que Samuel viendrait en personne au lieu de téléphoner, on aurait fait porter une oreillette à Laura pour que je puisse lui dicter ses paroles comme dans les films !

Dracule vient de s'enrouler autour de ma cheville. Il est revenu en notre absence, Constance n'en veut plus. Je suis prête à prendre des médicaments contre les allergies pour que Laura ait son chat pour la consoler. Au fond, ça tombe bien que Grominet soit de retour. Pas sûre que Trucker soit de cet avis, par contre.

Oh, Samuel lui prend la main… ils discutent, ça semble bien aller.

Il a lâché sa main, il semble sérieux, trop sérieux.

Respire Laura… Ne fais pas de gaffe. Tout doux… Bonne fille…

Mon téléphone sonne. Pas la sonnerie d'un appel, mais plutôt d'un message texte. C'est Constance. Je ne savais même pas qu'elle m'avait sur son iPod !

Const99
Salut Marie-Douce, t'es dure à joindre! J'ai dû demander à ta mère ton courriel pour t'ajouter sur Messenger!

DouceMarie144
Je ne texte pas souvent... Je viens de voir que Dracule est ici .

Const99
Je l'aurais gardé, mais mon père était pour en faire du steak. Dracule a détruit deux de ses précieux bonzaïs. Je lui ai sauvé la vie en le ramenant chez vous. Désolée pour tes allergies.

DouceMarie144
Je vais survivre 😊. Il est vraiment mignon en plus !

J'espère que cette fois-ci, papa va me laisser prendre des antihistaminiques !

Const99
Dis-moi, est-ce que tu sors avec Lucien ?

Pour une fois, j'ai une réponse claire à cette question !

DouceMarie144
Oui 😊

Const99
Officiellement ? Vous vous l'êtes dit pour de vrai ?

DouceMarie144

Oui, pour de vrai. Il m'aime, je l'aime, tout est dit et officiel. Pourquoi ?

Const99

Regarde la une de Vedette Monde. Ils parlent de Lucien . Je pense que ça va t'intéresser. Voici le lien https://vedettemonde.wordpress.com

DouceMarie144

Super ! Merci, je vais regarder ça tout à l'heure !

Const99
Je dois te laisser ! Bonne soirée ! »

DouceMarie144
Toi aussi !

Dans la seconde, je clique sur le lien pour lire l'article. Une nouvelle photo de Lucien apparaît à l'écran que j'embrasse du bout des lèvres avec un sourire de fille en amour. Puis je lis l'article... Les questions et réponses classiques s'enchaînent : aime-t-il sa nouvelle vie, comment a-t-il été accueilli, blablabla... Puis, mon regard se heurte à une fin d'entrevue qui détruit mon petit univers :

Vedette Monde

EXCLUSIF EXCLUSIF EXCLUSIF

Le nouveau membre du groupe Full Power nous accorde une entrevue exclusive

Vedette Monde: Lucien, tu viens de te joindre au groupe le plus en vue des jeunes filles, comment vis-tu ta nouvelle vie?

Lucien: C'est une opportunité extraordinaire. Je vais m'assurer d'être à la hauteur des *fans*!

Vedette Monde: Comment les gars t'ont-ils accueilli?

Lucien: Ce sont des gentlemen, aucun souci! Je me sens déjà chez moi.

Vedette Monde: Nous savons déjà que tu danses, chantes et joues de plusieurs instruments. Dis-nous, y a-t-il quelque chose que tu ne saches pas faire?

Lucien: Des tas de choses! Je ne connais rien aux arts martiaux, par exemple!

Vedette Monde: Lucien, la question sur toutes les lèvres se doit d'être posée! Est-ce que vous avez une petite amie?

Lucien: Non, pas de petite amie.

Vedette Monde: Vous avez bien lu, les filles! Votre nouvel idole a le cœur libre! De quoi faire rêver! Merci de nous avoir accordé quelques minutes de votre temps!

Mon appareil m'échappe des mains et tombe sur le divan. Mes mains sont devenues moites d'un seul coup.

— Aaaaaaaarrrrrrrhhhhh! Elle est donc ben vache!

Un sanglot s'empare de ma gorge, brisant mon cri à mi-chemin. Nathalie et mon père se ruent dans le salon. Trucker, qui a fait un saut lorsque j'ai crié, se met à japper et grogner et Dracule a déguerpi en dérapant sur le plancher. La porte d'entrée s'ouvre sur Laura et Samuel qui se tiennent par la main. Zut, on dirait que je viens de gâcher leur moment magique.

— Marie-Douce! Qu'est-ce qui se passe? On doit t'avoir entendu crier à des kilomètres à la ronde! s'exclame Laura.

— Hé, ma puce, est-ce que ça va? s'inquiète mon père.

— T'es-tu fait mal? s'enquiert Nathalie.

Je les dévisage tous en clignant des yeux. Je n'ai pas envie de mentionner l'aberration que je viens de lire sur internet.

— Je me suis coincé le doigt dans le tiroir de la table… je cherchais… euh… la télécommande.

Mon père fronce les sourcils et saisit la télécommande qui repose tranquillement sur la table, très visible de ma position.

– Oui, je viens justement de la trouver ! Maudit tiroir, faut faire attention, j'aurais pu me couper le doigt !

Mon père se frotte le menton et vérifie la table ainsi que le tiroir qu'il ouvre et referme à plusieurs reprises. Puis, il me lance un regard d'incompréhension.

– Le tiroir n'a rien de spécial. Montre-moi ton doigt.

Zut, j'aurais dû y penser que mon père voudrait vérifier ma blessure imaginaire. Les deux mains dans le dos, je pince mon index de la main gauche aussi fort que possible avec mes ongles, juste assez pour y laisser des marques. Fière de mon coup, je montre ma main endolorie à mon père qui l'inspecte avec beaucoup de précaution pour ne pas me faire mal. Je me sens un peu nulle de lui jouer la comédie de cette façon, mais il fallait détourner l'attention. La dernière chose que j'ai le goût d'entendre présentement, c'est « Oublie-le ! Il n'en vaut pas la peine ! » même si je sais que c'est exactement ce que je dois faire dans les circonstances.

Alors que mon père tourne ma main soi-disant blessée dans tous les sens, Laura me fait un signe de la tête : elle sait que je mens et je lui réponds d'un regard complice. Pendant ce temps, Nathalie revient avec une débarbouillette remplie de glaçons.

— Tiens, mets ça sur ton doigt, ça va éviter l'enflure, dit-elle.

— C'est presque rien, dit mon père.

— Oui, je vous assure que ça va !

— Bon, bien, je vais y aller… dit Samuel qui se faisait discret jusque-là.

Mon père, Nathalie et moi nous retournons tous vers le pauvre gars qui ne s'attendait pas à se retrouver au milieu d'une petite réunion familiale improvisée. Je lui fais un sourire angélique et il rougit à vue d'œil. C'est trop mignon, surtout que Laura me fait de gros yeux, agacée que je m'amuse à gêner son amoureux.

— Bonne soirée, Samuel ! dis-je, en tâchant d'y mettre du cœur, même si j'ai l'esprit complètement ailleurs et que je n'ai qu'une seule envie : aller me cacher sous ma couette pour pleurer toutes les larmes de mon corps !

— Salut Marie-Douce, dit-il, avant de traîner par la main une Laura aux grands yeux émerveillés.

Elle mime de ses lèvres « Regarde, il me tient la main ! » avant de claquer la porte derrière eux.

Me retrouvant seule avec mon père et Nathalie, je fais mine de bâiller avec exagération.

– Je suis faaaatiguéeee ! Grosse fin de semaine ! Je vais aller ranger mes affaires et me coucher !

Traduction : je vais monter et brailler de toutes mes forces dans mon oreiller. Ensuite, je vais attendre Laura et, au lieu de lui raconter ce que j'ai lu dans l'article que Constance m'a volontairement indiqué pour me faire de la peine, je vais écouter ma sœur me dévoiler chaque seconde de son moment magique avec Samuel Desjardins. Je vais lui dire qu'elle mérite son bonheur et m'extasier avec elle de la tournure des événements. Je vais me forcer parce que la dernière chose que je voudrais, c'est lui gâcher son instant de bonheur. Tout raconter à sa sœur, ça fait partie du *trip*, non ?

Puisque « être forte est la nouvelle façon d'être belle », alors c'est ça que je serai. Pas besoin d'être en amour pour être heureuse.

Chapitre 49

Laura + Samuel ❤

Je me suis endormie au petit matin. Si j'avais su que je rêverais toute la nuit à des aventures très romanesques avec Samuel, je me serais assommée avec un dictionnaire pour tomber dans les bras de Morphée beaucoup plus tôt.

Marie-Douce m'a écoutée lui raconter ma discussion avec Samuel pendant des heures. Je lui ai répété chacun de ses mots, décrit chacune des expressions de son visage et chaque émotion que j'ai ressentie auprès de lui. Nous étions dans le noir de notre chambre, censées dormir depuis longtemps.

Entre deux soupirs de bonheur, j'ai tenté en vain de lui arracher les vers du nez. Je sais que quelque chose ne va pas.

A-t-elle eu des nouvelles de Lucien? Oui.

Il disait quoi? Qu'il pensait à elle.

Ma sœur me répondait en phrases courtes, simples… trop simples. Il y a davantage à cette histoire que ce qu'elle m'en dit. J'ai insisté pour en savoir davantage, mais je me suis heurtée à un mur.

– Tout va bien, t'en fais pas… Allez, bonne nuit et fais de beaux rêves…

– Marie-Douce?

– Oui?

– Est-ce que c'est vrai que tu vas te teindre les cheveux?

– Pourquoi tu me demandes ça?

– Biche nous a montré une photo d'idée de couleur pour toi. Georges capotait.

– Est-ce que Miranda était là? demande-t-elle, inquiète.

– Non, juste Gisèle, Biche, Georges et moi. Je ne la croyais pas. Est-ce que tu penses vraiment faire ça à tes beaux cheveux?

Un court silence me force à patienter pour sa réponse.

– C'est un projet probable… Je n'ai rien décidé encore.

– OK. Marie-Douce?

– Oui?

– Je t'aime.

– Je t'aime aussi, Laura. Bonne nuit.

***

Dans le cours de maths, Samuel est assis au pupitre à côté du mien. Il a tassé Gabriel Grenier (un garçon pas très aimable) qui avait pris la place avant lui. J'ai trouvé ça *cute* qu'il se donne la peine de le faire juste pour être près de moi. Mon chevalier héroïque, semblable à celui de mon rêve (où il combattait un dragon pour me sauver d'une mort certaine, mais je ne suis pas regardante sur les détails, Gabriel ou un dragon, c'est la même chose dans mon petit monde imaginaire) me lance un regard doux. Il pointe mon agenda que je lui tends en haussant les sourcils.

Lorsqu'il me le rend, il a un petit sourire en coin. Sur la couverture intérieure, il a écrit « Laura + Samuel » avec des cœurs ! Je referme en vitesse. S'il fallait que le prof s'aperçoive de notre échange, il pourrait lire à voix haute ce que Samuel vient d'écrire. On dirait qu'il s'en fiche, je vais donc faire de même et savourer notre petit bonheur.

À l'heure du lunch, j'hésite. Ça fonctionne comment, désormais ? Samuel mange toujours à la grande cafétéria avec sa gang. Ils sont à l'autre table. Pas loin de celle que fréquentent Marie-Douce, Constance et Samantha (la même qu'Alexandrine et ses acolytes), mais quand même. Dois-je choisir entre les deux ? Doit-on se séparer ? C'est idiot, mais ce genre de détail me rend très nerveuse. Pour le premier dîner, du moins. Il faudra casser la glace ou faire comme si rien n'avait changé.

– On va où pour manger ? demande Samuel. J'ai un super lunch pour nous deux.

Sa question me soulage tellement. Je ne savais plus où aller. Avec lui, pas avec lui…

— Peu importe, dis-je, souriante.

— Tu ne veux pas endurer mes amis.

— Hé, j'ai pas dit ça…

— Non, c'est moi qui le dis. Tu ne veux pas endurer mes copains, dit-il en riant. Ils vont t'achaler, te tester… J'ai une meilleure idée !

Il saisit ma main et me guide vers la porte qui mène au centre culturel. Je comprends rapidement : nous irons manger sur le même banc que la dernière fois. *Notre* banc.

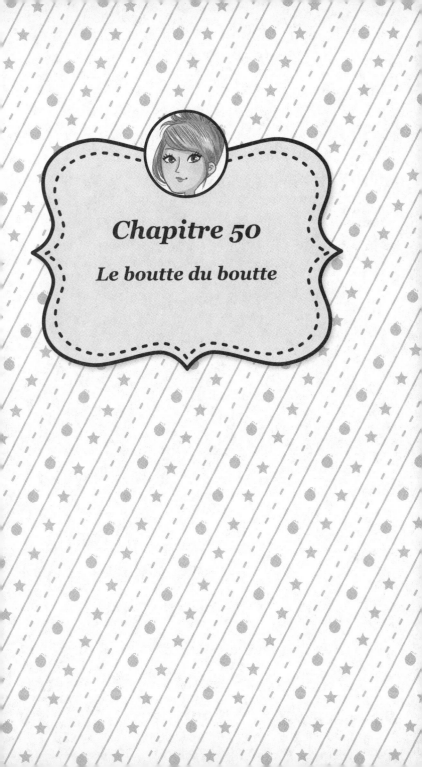

Chapitre 50

Le boutte du boutte

Je suis heureuse pour Laura. ENFIN, elle est avec Samuel pour de vrai. Ils étaient vraiment *cutes*, tous les deux, s'esquivant par la porte du côté de la salle F pour aller manger en tête-à-tête dehors.

Corentin m'a saluée de loin, me faisant de grands signes pour me dire qu'il allait manger son lunch au gym, avec ses copains. C'est nouveau pour Corentin de fréquenter une gang de gars. Avec Xavier Masson, il ne risque pas de rester assis sur une chaise.

Voilà que notre trio se sépare un peu. Laura en amour, Corentin qui se fait de nouveaux amis et moi... je suis le petit canard boiteux qui souffre en silence.

Ce midi, je dîne à notre table habituelle de la grande cafétéria avec Alexandrine, Clémentine et Dariane. Même si elle est seule pour manger, et malgré son air piteux, je ne veux absolument pas parler à Constance. C'est rare que Samantha ne soit pas avec elle, elle a dû avoir une activité quelconque. Tant pis pour Constance ! Elle a lu l'article avant de m'en parler, soi-disant innocemment. Elle savait très bien ce que l'entrevue contenait et que j'aurais le cœur brisé. Je commence à comprendre qu'elle est jalouse. Pour quelle autre raison aurait-elle pris la peine de me trouver sur

Messenger dans le seul but de me faire lire un truc qui me ramènerait sur Terre? Avec un bonhomme sourire en plus!

Je mange en silence; devant moi se trouvent Clémentine qui ne parle toujours pas (sérieusement, il faudrait qu'elle consulte un psy, celle-là!) et Alexandrine qui frôle d'un index énergique la vitre du iPhone de Dariane.

– Cache ça! l'implore cette dernière. On n'a plus le droit d'avoir un iPhone à l'école. Si un surveillant te voit, je me ferai confisquer mon téléphone et je viens juste de l'avoir, alors…

Mais Alex est concentrée sur l'écran. Je me penche un peu, curieuse de voir ce qui l'emballe tant. C'est l'article! J'ai eu le temps de voir la photo de Lucien. Elle colle l'appareil contre sa poitrine.

– Est-ce que tu sors avec Lucien? me demande-t-elle.

Que dire? Mentir pour la face? Ou dire la vérité? Voilà une bonne façon de voir quelle sorte d'amie est Alexandrine Dumais.

– Oui, c'est mon chum officiellement. En principe…

Elle regarde l'article, relève la tête et me fixe quelques secondes. Elle ouvre la bouche pour parler… va-t-elle, elle aussi, me lancer au visage que je suis en train de me faire avoir par un séducteur qui me renie devant le monde entier ?

– Wow, raconte ! s'exclame-t-elle avec un enthousiasme qui me fait chaud au cœur.

Alors que je la regarde d'un air défait, Dariane saisit son iPhone et se lève.

– J'ai un truc à terminer au journal, je vous laisse ! Tu viens, Clem ? J'ai besoin que tu corriges mes fautes.

Dariane me fait un petit sourire qui m'indique qu'elle nous laisse seules volontairement, geste que j'apprécie. Constance est à l'autre bout de la table. Avec le brouhaha de la salle, si nous parlons bas, elle ne pourra pas nous entendre.

– Est-ce que ça va ? me demande Alexandrine. Sois franche, Marie-Douce. Oublie pas que je suis une sorcière. Je vois à travers ton âââme…

Elle nous dit souvent ça. Il paraît qu'elle fabrique des poupées vaudou, houuuuu !

– T'as vu comme moi. Il déclare dans l'article qu'il est libre, pas de blonde, dis-je, en pointant Dariane qui marche vers la sortie avec son iPhone.

– Oh, tu l'as lu…

– Ouaip, y a une âme charitable qui me l'a fait lire, hier soir.

Je n'aurais pas dû dire ça. Qu'est-ce qui me prend? Ce n'est pas mon genre de me confier comme ça, spontanément! Et avec amertume, en plus! Hier soir, malgré les demandes incessantes de Laura, j'étais incapable d'articuler un seul mot concernant Lucien. Si je l'avais fait, j'aurais de nouveau éclaté en sanglots. Ma sœur était si heureuse, je ne voulais pas gâcher son bonheur. Et là, à la lumière du jour, au beau milieu d'une foule d'élèves bruyants, il me prend l'envie urgente de parler. J'ai besoin, pour une fois, de vider mon sac. Alexandrine se trouve être au bon endroit au bon moment. Laura sera déçue de ne pas avoir su cette histoire en premier, mais il est trop tard…

Alex me regarde depuis plusieurs secondes. Elle attend un signe, un indice… Je sais qu'elle cherche à découvrir qui est la fameuse «âme charitable».

— Et cette gentille personne sait que Lucien, c'est ton chum? demande-t-elle.

— Oui…

— Elle t'a fait lire cet article pour ton bien, ou… pour péter ta bulle de bonheur?

Je ris avec dépit. De mes deux mains, je froisse l'emballage de mon biscuit à la mélasse avec un peu trop d'agressivité.

— Je crois que c'était pour péter ma bulle. Elle me l'a fait lire sans me dire qu'il avait dit être célibataire.

— Oh, LAISSE-MOI DEVINER, dit Alexandrine en levant le ton.

Elle se retourne vers le bout de la table, là où Constance semble manger plus rapidement son sandwich.

— C'est la conne de Constance Desjardins, hein ? s'exclame-t-elle.

— Dis pas ça…

— Je vais le dire et le redire. Cette fille-là est jalouse de toi. C'est tellement flagrant, Marie-Douce. Et toi, tu ne dis jamais rien.

Juste à ce moment, Constance, qui a tout entendu parce qu'Alex a parlé fort d'une façon très volontaire, se lève. Évidemment, Alexandrine l'interpelle sans se gêner :

— Qu'est-ce que t'as encore fait, la niaiseuse ? T'es tellement jalouse que t'as pas pu t'empêcher de lui faire lire cette cochonnerie ?

Plusieurs têtes se retournent, dont celles des amis de Samuel. Des rires et des commentaires fusent de toutes parts.

— Constance la jalouse ! s'écrie Gabriel Grenier, de l'autre table.

Rouge comme une tomate, Constance saisit le reste de son lunch et sort de la cafétéria en trombe.

– T'as fait fuir Constance, Alex... Tu vas encore avoir une plainte. Ça ne vaut pas la peine...

Mais ça en prend davantage pour intimider Alexandrine Dumais. Elle me tend la main droite, le regard en furie.

– Montre-moi son message !

– Quel message ?

– Celui qu'elle t'a écrit juste avant de te montrer l'article. Je sais que t'as ton précieux iPhone dans ta poche. Allez, donne.

Cette fille doit avoir des pouvoirs surnaturels, parce que j'obéis sans pouvoir refuser. D'une main mal assurée, je lui tends mon téléphone intelligent après avoir fait le code d'accès. Elle le saisit, le tâtonne d'une main experte, fronce les sourcils en lisant l'échange entre Constance et moi, puis rugit :

– J'en reviens pas. C'est le boutte du boutte ! Elle a même mis un *smiley* ! Il faut que je trouve Laura, elle va capoter quand elle va savoir ça !

– Alex ! Noooon !

Issssh... j'aurais tellement dû me taire... Elle est partie avec mon iPhone !

Je m'apprête à courir derrière Alex pour la rattraper, mais je me résigne à la laisser aller. Je pense qu'au fond de moi, je souhaite que Constance soit démasquée.

Chapitre 51

Ferme. Les. Yeux.

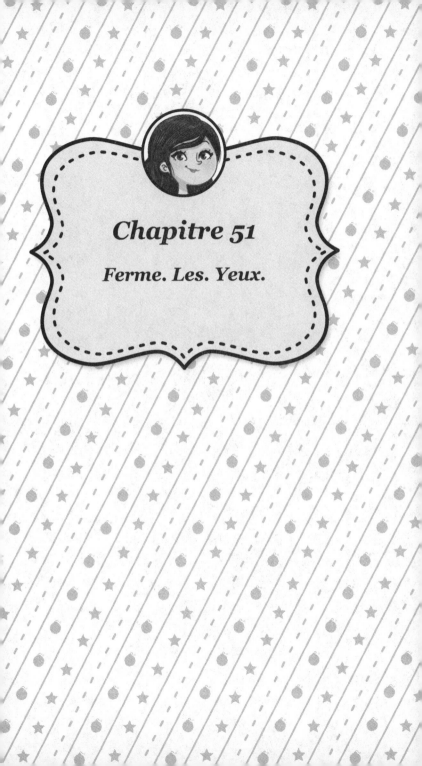

Nous revenons à la salle F, main dans la main. Près des vitres, derrière une rangée de cases, un autre couple est enlacé. Mon cœur s'active lorsque Samuel s'appuie à la barre de bois en bordure des fenêtres. Va-t-il m'embrasser? C'est drôle à dire avec tout ce qui s'est produit depuis l'anniversaire de Marie-Douce, mais nous n'avons pas encore échangé un vrai baiser. Le petit bec timide que j'ai déposé sur ses lèvres dans sa chambre quand j'ai découvert qu'il m'avait caché prendre pour les Canadiens ne compte pas.

– Laura, est-ce que ça va? demande Samuel près de mon oreille.

Ooooh, je suis si préoccupée par cette histoire de baiser que je dois avoir l'air distraite.

– Oui, pourquoi?

– Je ne sais pas, je te sens nerveuse, tout à coup.

– Nooonnn, pourquoi je serais nerveuse? Y a aucune raison...

Je suis une vilaine MENTEUSE! J'ai peur de frencher, je l'avoue! Devant les autres, en plus... D'un coup que je manque mon coup?

– OK, mais tu me le dirais si quelque chose te dérangeait? demande-t-il.

Wow, il est si attentionné et semble si inquiet.

– Oui, c'est sûr, dis-je en ravalant ma salive.

– Comme là, si je t'embrasse, est-ce que tu vas paniquer ?

Surprise par sa question, je le dévisage. Je dois avoir l'air ahurie parce qu'il me fait son sourire en coin.

– Ferme les yeux, dit-il.

– Quoi… ?

– Ferme. Les. Yeux.

J'inspire avant de clore les paupières. Je ne vois que des étoiles multicolores. Ça doit être l'effet du soleil ou, oh mon Dieu ! des lèvres de Samuel qui touchent doucement les miennes. Le baiser s'approfondit tout en restant facile, délicat et si… naturel. Moi qui craignais que ce serait compliqué, que j'allais faire des dégâts, gâcher le moment par ma maladresse ! Rien de tout cela ne se produit. C'est juste… simple et agréable. Je me sens en sécurité avec lui. Au bout de quelques secondes, j'ouvre les yeux et il se détache de moi.

– Viens, dit-il, il faut aller chercher nos livres pour le prochain cours.

– OK, oui, OK, bien sûr… OK !

– OK, sourit-il.

– Tu ris de moi…

– Ben non, jamais de la vie ! s'esclaffe-t-il en tirant sur ma main. Allez, on y va !

Mes pieds ne touchent plus terre, je voooolllleeee! Je suis Samuel à sa case pour qu'il y dépose les vestiges du lunch d'enfer qu'il vient de partager avec moi (il avait fait exprès de doubler les portions!) lorsque Constance, qui occupe la case juste à côté de celle de son neveu (normal, même nom de famille!), arrive, à bout de souffle, en pleurant.

Au début, elle se cache, mais très vite, je m'aperçois qu'elle ne fait que semblant de ne pas vouloir se faire voir. À sa façon d'accrocher volontairement le bras de Samuel, je vois bien qu'elle cherche son attention.

Et hop! Ça ne prend pas plus que cinq secondes…

— Constance, es-tu correcte? demande-t-il.

Elle relève la tête. Un flot, que dis-je? Plutôt, un TORRENT de larmes coule sur ses joues.

— Oui… t'en fais pas pour moi…

— Qui t'a fait pleurer? insiste-t-il.

Elle s'essuie les yeux du revers de sa manche en secouant la tête. Ses épaules font des soubresauts qui me paraissent un peu exagérés. Ses mouvements ne sont pas naturels.

— Ça va, laisse faire…

Elle évite mon regard. Je n'aime pas ça.

– Tu sais très bien que je ne laisserai personne te faire de la peine. C'est qui ? demande Samuel en claquant la porte de sa case.

– Alexandrine…

– Encore elle ! Dommage que je ne frappe pas les filles !

Whô ! Il est temps d'y mettre mon grain de sel !

– Qu'est-ce qui s'est passé, Constance ?

Elle regarde le plafond en poussant un profond soupir.

– Elle m'a accusée devant tout le monde d'être jalouse de Marie-Douce.

Euh… et c'est faux ? Pas sûre, moi ! C'est même très vrai ! Constance a une attitude désagréable avec tout ce qui concerne Marie-Douce depuis le début des classes.

– Oh…, fais-je.

Je veux lui dire ma façon de penser, mais je n'en ai pas le temps, elle me coupe la parole.

– C'est à cause de l'article ! s'exclame-t-elle.

– Quel article ?

Elle me fait un air étonné.

– Tu l'as pas lu ? Une entrevue que Lucien a donnée à *Vedette Monde*.

– Je ne comprends pas ce qu'il y a de si grave… C'est normal que Lucien donne des entrevues.

– C'est pas ça le problème, Laura, reprend Constance.

– Accouche !

– Constance, viens-en au fait, s'il te plaît, s'impatiente Samuel.

– Marie-Douce pensait sortir officiellement avec Lucien. Elle m'a même avoué qu'ils se sont dit qu'ils s'aimaient ! Mais dans l'article, Lucien affirme qu'il a pas de blonde, explique finalement Constance.

Ouille ! Pauvre Marie-Douce !

Mon cœur se brise pour elle. Puis je prends conscience d'un détail important : jamais ma sœur ne m'a annoncé qu'elle sortait officiellement avec lui ! Se sont-ils dit de grands mots d'amour ?

– C'est pas de ma faute si son Lucien lui a fait croire des affaires pas vraies. Tout ce que j'ai fait, c'est l'avertir de se méfier. C'est ça que ça fait, des amies, non ?

Des amies jalouses, surtout…

– Tu lui as fait lire l'article de Lucien quand ?

– Hier soir… dit-elle en reniflant et en s'essuyant encore les paupières.

Hier… c'était quand je vivais la plus belle soirée de ma vie entière. Hier… j'ai passé des heures à raconter à ma soeur à quel point j'étais heureuse. Elle m'a laissée parler, elle semblait si contente pour moi… Tout ce temps, elle devait être détruite…

Je le savais que quelque chose ne tournait pas rond. J'étais tellement ivre de mon grand bonheur soudain que j'ai fait la sourde oreille aux signes pourtant évidents de détresse de Marie-Douce. Je devrais commencer à la connaître mieux, à deviner qu'elle me cache des choses pour ce qu'elle croit être mon bien! Elle est tellement généreuse. Je me sens vraiment cheap.

Ces derniers temps, elle avait retrouvé son sourire, elle était resplendissante… alors que moi, j'étais dans l'angoisse la plus totale. Elle ne m'a pas raconté ce qui se passait dans sa vie. Se peut-il qu'elle ait voulu me cacher son bonheur pour ne pas me faire de peine? C'est tout à fait son genre.

Je regarde Samuel un long moment. Il semble attendre ma réaction. Je dois réfléchir. Constance est envieuse de Marie-Douce, ça paraît dans sa face depuis le retour de France de ma sœur. Chaque fois que je lui parle d'elle, c'est tout juste si Constance ne me dit pas carrément de me taire. Alexandrine a bien des défauts, mais une chose est certaine: elle voit clair. Quand elle accuse Constance d'être de mauvaise foi, elle n'a pas tort. Alex est très protectrice des gens qu'elle respecte et je serai toujours du côté de ceux qui défendent ma sœur.

Samuel fronce les sourcils. Il tente de lire dans mes pensées. On dirait qu'il sait qu'il n'aimera pas ce que je vais dire. Le menton crispé par le regret d'avoir à le décevoir, je lâche sa main.

– Constance, veux-tu savoir ce que je pense ?

Elle renifle encore. Seigneur, qu'elle m'énerve…

– Oui…

Samuel s'appuie sur son casier. Je sens qu'il retient son souffle.

– Je pense qu'Alexandrine n'a fait que dire tout haut ce que ma sœur aurait dû te dire elle-même : t'es jalouse et tu veux la descendre de son piédestal.

– C'est exactement ça ! fait une voix derrière nous. Alléluia ! Laura, tu t'es enfin rendu compte que j'avais raison !

Nous nous retournons tous en même temps. Alexandrine est là, grande et pleine d'assurance, les mains sur les hanches. Son regard n'a jamais été aussi intense. De la colère ? De la haine ? Difficile à dire. Elle est un peu essoufflée, comme si elle avait couru.

– Alexandrine, mêle-toi de tes affaires ! la supplie Constance, ses larmes encore présentes.

– Pouah ! Je veux être sûre que Laura ne se fasse pas berner par tes menteries. Marie-Douce m'a tout raconté. Tu lui as donné le lien de l'article avec un bonhomme sourire !

– C'est pas vrai…

– Ah non ? Les écrits restent, je peux le prouver avec ceci, dit Alex, avec un sourire satisfait, brandissant l'iPhone de Marie-Douce reconnaissable à son étui à l'effigie de Full Power.

– Constance ? Est-ce que c'est vrai ? demande Samuel.

Cette dernière baisse la tête et se remet à pleurer. Pour ajouter au spectacle, elle s'élance dans les bras de Samuel qui me regarde comme s'il était en état de choc. Visiblement, il ne sait pas comment réagir, et avec raison.

– T'avais pas besoin de lui faire lire cet article, Constance, surtout qu'on sait à quel point ce genre de sites publie n'importe quoi ! dis-je, en tentant d'être raisonnable.

Ne pas envenimer la situation… Ne pas envenimer la situation…

– Elle est jalouse et stupide, je l'ai toujours dit, chantonne Alexandrine. Allez-vous finir par m'écouter ?

– J'ai pas voulu faire de bonhomme sourire, je me suis trompée de bouton, pleurniche Constance. Je voulais faire une face triste et je ne voulais qu'avertir Marie-Douce de faire attention. Pour son bieeeeen…

Alex roule les yeux au plafond.

– C'est ça, c'est ça… menteuse… marmonne-t-elle.

– Ferme-la, Alex, grince Samuel qui a fini par serrer sa tante contre lui. Les textos, c'est pas toujours précis. Ça arrive qu'on n'écrive pas ce qu'on voulait.

– C'est çaaaa… et le correcteur automatique a changé mes mots! ajoute Constance l'opportuniste.

Au loin, près de l'entrée du tunnel qui mène à la cafétéria, je vois Marie-Douce qui marche à pas lents en direction des toilettes. Je sais qu'elle m'a vue, elle vient de détourner la tête. Pourquoi ne m'a-t-elle rien raconté à moi? Elle s'est confiée à Alexandrine avant de me parler. Honnêtement, je suis un peu vexée. Je dois être la PREMIÈRE à tout savoir de sa vie. Les bonnes comme les mauvaises nouvelles.

– Alex, montre-moi donc ces textos!

– Je veux voir aussi, enchaîne Samuel en se détachant de sa tante.

Ce que je lis est très clair. On dirait une fille très heureuse de partager un article avec un beau sourire. Reste à voir si Samuel verra la même chose que moi, ou du moins, s'il l'interprétera de la même façon.

Alors qu'il saisit le téléphone de Marie-Douce à son tour, je m'approche de lui, espérant qu'il comprenne mon point de vue. Malheureusement, il fuit mon regard et fait un mouvement de recul. Tout à coup, c'est comme si mes doigts fendaient l'air. Samuel est devenu, en l'espace d'un instant, complètement inaccessible.

— Samuel ? T'as vu la preuve, non ? Constance ne dit pas la vérité…

Il pose finalement son regard sur moi, mais il ne sourit pas. J'en ai des frissons dans le dos.

— Je pense que vous cherchez à mettre Constance dans l'eau chaude. Je sais comment ça fonctionne entre filles, quand vous décidez d'en détruire une. J'ai tellement vu ma sœur se faire niaiser, et pas juste par elle, dit-il en pointant Alexandrine. Aujourd'hui, c'est Constance, demain, ce sera peut-être toi, Laura.

— Hé, j'ai pas niaisé ta sœur ! C'est pas de ma faute si elle met son grand nez partout !

— Assez, Alex ! s'emporte Samuel. C'est pas d'hier que t'es sur le dos de Samantha et de Constance.

— Mais, là, ça n'a rien à voir… dis-je, en désespoir de cause.

Oh mon Dieu, Samuel est vraiment fâché ! Il me lance un regard noir.

— Laura, cette fille-là fait de l'intimidation. Si tu te tiens avec elle, alors on n'a plus rien à se dire.

— Tu fais une erreur, Samuel, l'avertit Alexandrine. J'ai pas beaucoup de patience, c'est vrai, ta sœur me tape sur les nerfs, ça oui. Et non, je ne vais pas m'empêcher de leur dire ma façon de penser. Mais là, la fauteuse de troubles, c'est Constance. Quand tu t'en rendras compte, il sera peut-être trop tard. Viens, Laura !

Alex saisit doucement mon bras pour m'entraîner avec elle, mais je résiste, mon regard planté dans celui de Samuel.

— T'es sérieux, tu penses vraiment que Constance dit la vérité ? Le mauvais piton, vraiment ?

Au lieu de me répondre, il regarde ailleurs en croisant les bras sur sa poitrine.

Vaincue, je pivote sur mes talons sous la prise d'Alexandrine qui m'entraîne déjà de l'autre côté de la Salle F. Au bout de quelques pas, j'entends :

– Laura…

La voix de Samuel est étouffée par le son de la cloche et le brouhaha des élèves qui courent vers leurs classes. Je ne suis pas certaine. A-t-il dit « Attends » ou « Va-t-en » ?

Chapitre 52

La seule humaine

Sur le côté gauche de mon crâne, une pression déplaisante m'empêche de penser. La petite scène où Alexandrine interpellait Constance en la traitant de niaiseuse m'a stressée. Et quand je l'ai vue parler à Laura et à Samuel, j'ai un peu paniqué. J'aurais pu aller les retrouver pour calmer la situation, mais je n'en avais pas la force, pas avec cette douleur atroce qui me force à plisser les paupières. C'est un genre de mal de tête que je n'ai jamais eu auparavant. La lumière du jour me fait mal aux yeux, j'ai envie de vomir et le bruit m'agresse. En désespoir de cause, j'avise la secrétaire de l'école et je contacte Bruno pour qu'il passe me chercher le plus rapidement possible. Si je pouvais arracher le côté de ma tête, je suis certaine que ça irait mieux.

Lorsqu'il me dépose chez mon père, j'ai droit à un regard inquisiteur de la part de Bruno.

– T'as vraiment l'air malade, dit-il. Tu veux que j'appelle ta mère ?

– Non ! Surtout pas, dis-je.

La dernière chose dont j'ai besoin, c'est Miranda qui babille autour de moi avec l'inquiétude d'une mère nerveuse.

– OK, mais tu vas te coucher et prendre des cachets ?

— Oui, je vais faire ça. Merci, Bruno.

La maison est tranquille à cette heure de la journée. Trucker se fait vieux, il n'accourt plus comme le jeune chien fringant qu'il était. Il se contente de battre de la queue et de me regarder avec ses yeux tristes. Dracule, pour sa part, se sauve, je crois que ce chat est d'une intelligence particulière. Pour m'amuser, je me dis qu'il sait que je suis allergique et reste loin pour s'assurer que mon père ne l'envoie pas à la SPCA.

Quel soulagement d'être seule (en tant qu'humaine) pour une fois ! J'ai grand besoin de cet instant de tranquillité pour me ressaisir un peu. Sans le vacarme des élèves, ça va déjà un peu mieux, malgré cet élancement qui s'acharne juste au-dessus de mon œil gauche. Je pense que c'est le stress qui est la cause de cette douleur. Il faut que j'arrête de penser à cet article et aux mots décevants de Lucien… La batterie de mon iPhone est morte. J'ai oublié de la recharger ce matin. Depuis la première pause de la matinée que je me languis de voir si Lucien m'a écrit. Je me dépêche de le brancher dans la cuisine là où mon père laisse toujours un fil traîner pour son propre téléphone.

Je tapote le comptoir avec impatience. Je devrais vraiment aller me coucher, mais j'en suis incapable. Je dois m'occuper les mains, sinon je rongerai mes ongles jusqu'aux coudes. Quelques verres, assiettes ainsi qu'une casserole ont été laissés en plan. Je place le bouchon au fond de l'évier et je laisse couler l'eau brûlante. Un peu de savon liquide et je saisis les gants de caoutchouc de Nathalie. Un à un, je laisse glisser dans l'eau les morceaux à laver. Du coin de l'œil, je guette mon iPhone… j'attends un minuscule signe de vie pour sauter dessus.

J'ai beau tenter de garder les yeux ouverts, rien n'y fait. La douleur s'intensifie. Je dois abdiquer et aller m'étendre. Le divan du salon est bien attrayant, même si mon lit à l'étage serait plus tranquille ; je pourrais fermer le store et dormir dans le noir total.

***

C'est la porte d'entrée qui me réveille en sursaut. Ou plutôt, le cri de mort de Laura qui me cherche. J'ai encore la tête en compote, en plus d'être confuse. Quelle heure peut-il être ? Sûrement autour de 16 h 30, si je me fie à la présence soudaine de ma sœur. J'ai donc dormi au moins deux heures. Je me sens « eurrrk ».

– Marie-Douce Brisson-Bissonnette! Tu me dois des explications! s'époumone ma sœur, en lançant son sac sur le fauteuil qu'occupe normalement mon père.

Je referme les yeux, saisis un coussin et me cale la tête en dessous.

– Shhhhh… Laura… pitié… J'ai mal…

Même si j'ai les yeux fermés, je sais que Laura vient de s'asseoir sur le divan, contre mon dos. Elle tire doucement sur le coussin que je tente de retenir contre mon crâne.

– Hé, tu ne te sens pas bien? Laisse-moi voir…

– J'ai mal sur un côté de la tête. Je veux juste la paix.

Rien à faire pour qu'elle me laisse tranquille, sa main est déjà sur mon front.

– T'as pas de fièvre. Tu veux que j'appelle ma mère? Elle peut revenir plus vite du travail. Elle connaît ça, elle, les migraines.

À ce mot, je retire le coussin qui couvrait ma tête. Une migraine… C'est donc ça? Les gens qui en ont disent tous que c'est très intense. Je les crois!

– Non… laisse-moi juste dormir encore.

J'entends ses pas s'éloigner, puis revenir. Un truc froid touche soudain ma tête… un soulagement instantané se fait sentir. Pas une guérison miraculeuse, juste une petite décharge de bien-être. Pourquoi n'y ai-je pas pensé ? Sûrement parce que tout ce que j'ai en tête, c'est Lucien et toujours Lucien…

Lucien, mon amoureux qui dit à la presse ne pas avoir de blonde…

Chapitre 53

Un plouk dispendieux

Au souper, Marie-Douce n'a avalé que quelques bouchées de sa brochette de poulet. Hugo voulait la forcer, mais ma mère, à qui les migraines ne sont pas étrangères, l'a convaincu de la laisser tranquille. J'ai suggéré d'aller marcher un peu, pour discuter des derniers événements. À ma grande surprise, ma sœur a accepté, moi qui pensais qu'elle irait s'enfermer dans notre chambre.

À pas lents, nous passons devant le musée. Nous montons ensemble la colline où Corentin passait son temps à flâner jusqu'à ce qu'il parte pour Paris, en avril dernier, emmenant avec lui Marie-Douce. J'avais eu tellement de peine quand ils étaient partis, tous les deux. Il faut qu'elle comprenne à quel point je tiens à elle et que je suis là pour la soutenir, quoi qu'il arrive.

— Tu sais, Marie-Douce, ça m'a vexée d'apprendre par Alexandrine que tu avais eu de la peine à cause de Lucien. Cette histoire d'entrevue à *Vedette Monde*, c'est à moi que tu aurais dû en parler.

— Je suis désolée. Hier soir, t'étais tellement heureuse…

— On s'en fiche ! C'est pas une raison. Je suis là pour toi aussi. Pas juste toi pour moi !

— En tout cas, il y en a au moins une de nous deux qui est heureuse avec son amoureux, dit-elle.

Oh si elle savait ! J'ai perdu Samuel à cause de son histoire… Mais je ne lui dirai rien, Marie-Douce penserait que c'est de sa faute et s'en voudrait à mort !

— Tout ira bien. *Vedette Monde*, c'est du gros n'importe quoi. Je suis certaine que tu t'en fais pour rien.

— Qui vivra verra… dit-elle tristement.

Elle me fait un sourire faible, le regard plein de cette sagesse typiquement Marie-Douce. On dirait qu'elle me dit « Ouais, mais moi, je suis une sainte, je peux souffrir en silence. »

— Tu veux retourner à la maison ? Ton mal de tête est passé ?

— Non, dit-elle, mais je veux marcher jusqu'au bord de l'eau.

Nous nous rendons donc au parc de la Maison-Valois, un site historique qui donne sur la baie de Vaudreuil. Quand j'étais petite, mon père et moi allions y lancer des cailloux plats. Il leur faisait faire une dizaine de ricochets sur l'eau, alors que moi, je n'arrivais qu'à les faire tomber à pic dans le fond du lac.

J'ai plusieurs souvenirs sur ce site. C'est ici qu'Érica St-Onge m'a mis sous le nez qu'elle sortait avec Samuel après avoir pleuré dans mes bras et s'être excusée d'avoir été méchante. C'est ici aussi que je suis venue retrouver Alexandrine. J'étais tellement stressée ! Je croyais qu'elle voulait qu'on se bagarre. Quand j'y repense, je me trouve ridicule.

Marie-Douce marche vers le bord de l'eau et retire ses souliers.

L'eau est froide ! Tu ne vas pas marcher là-dedans pour de vrai ?

Au lieu de me répondre, elle sort son iPhone de sa poche.

— Je suis tannée d'attendre après lui, Laura. J'ai besoin de faire de gros changements dans ma vie.

— Quelles sortes de changements ?

— Premièrement, lâcher mon iPhone.

— Pourquoi tu dis ça ? Tu ne l'utilises jamais !

Elle lève les sourcils et rit doucement.

— C'est ça que tu penses. Je te l'ai pas dit, mais je suis complètement accro. Je me cache pour vérifier mes messages, c'est frénétique…

Alors donne-moi ton iPhone, j'en ferai très bon usage, ce sera cent fois mieux que mon iPod stupide !

449

– Ah…

– Rouge, dit-elle.

– Quoi rouge ?

– Mes cheveux. Je les veux rouges. C'est décidé.

Marie-Douce suivra donc le conseil de Biche ! Georges s'évanouira, c'est certain.

– Okéééé… Quelle sorte de rouge ?

– Pompier.

Je ravale ma salive. Ça doit être l'acétaminophène qui lui fait trop d'effet. Demain, ça ira mieux…

– Ah…Okéééé… Quoi d'autre, Marie-Douce ?

Elle fait passer son iPhone d'une main à l'autre, me fait un autre sourire, celui-là énigmatique. Puis, elle prend un grand élan. D'une droite puissante (ma sœur est très athlétique), elle lance son iPhone très loin. Malgré mes souliers, je m'élance vers le rivage, tentant d'intercepter le précieux objet électronique.

– Noooooon !

Ma main tendue devant moi, les doigts écartés, je m'étire comme si j'étais la femme élastique. Malheureusement, je n'ai pas de pouvoir de super héroïne…

Il plane au-dessus de l'eau… fait trois bonds, exactement comme les cailloux que mon père lançait, pour finalement disparaître sous la surface.

Plouk!

Trop tard…

À suivre…

☺☺

Remerciements

Déjà 4 tomes ! Merci aux *fans* modèles, c'est à vous que je dois le succès de cette belle série. J'adore vous rencontrer dans les salons du livre ou dans la vraie vie. Merci de vos idées, commentaires et témoignages. Ça me nourrit et ça m'inspire.

Encore merci à ma fille Sandrine et à mon fils Thierry. Un gros merci à Rosalie et Élodie de répondre à mes questions parfois bizarres. Merci aux filles de l'école de la Vallée !

Katherine Mossalim, Shirley de Susini, Marc-André Audet et toute l'équipe des Malins, encore une fois mille mercis !

Corinne De Vailly, Fleur Neesham, Dörte Ufkes, Nicolas Raymond et Estelle Bachelar, sans vous, rien ne serait pareil !

Bises sincères,
Marie ✕★✕★✕

**Retrouve les Filles modèles
sur Facebook !**

 www.facebook.com/lesfillesmodeles

2ᵉ IMPRESSION
SUR LES PRESSES DE MARQUIS GAGNÉ
EN NOVEMBRE 2016